QUARTO de DESPEJO

QUARTO de DESPEJO

Diário de uma favelada

CAROLINA MARIA DE JESUS

Ilustrador: VINICIUS ROSSIGNOL FELIPE

editora ática

Quarto de despejo – Diário de uma favelada

GERENTE EDITORIAL · Paulo Nascimento Verano
EDITORA ASSISTENTE · Fabiane Zorn
COORDENADORA DE REVISÃO · Ivany Picasso Batista
APOIO DE REDAÇÃO · Pólen Editorial e Kelly Mayumi Ishida
PREPARAÇÃO · Renato Nicolai
REVISÃO · Bárbara Borges

ARTE
PROJETO GRÁFICO · Tecnopop
EDITORAÇÃO ELETRÔNICA · Tecnopop
COORDENADORA DE ARTE · Soraia Scarpa
ASSISTENTE DE ARTE · Thatiana Kalaes
CAPA · Vinicius Rossignol Felipe
FONTE · FF Quadraat (Serif, Sans, Sans Condensed & Head), de Fred Smeijers, editada pela FontShop em 1993

CIP-BRASIL. CATALOGAÇÃO NA FONTE
SINDICATO NACIONAL DOS EDITORES DE LIVROS, RJ

J56q
10. ed.

Jesus, Carolina Maria de, 1914-1977
Quarto de despejo: diário de uma favelada / Carolina Maria de Jesus ; ilustração Vinicius Rossignol Felipe. – 10. ed. – São Paulo : Ática, 2014.
200p. : il.

Inclui apêndice e bibliografia
ISBN 978-85-08-17127-9

1. Romance brasileiro. I. Felipe, Vinicius Rossignol.
II. Título.

14-16424. CDD: 869.93
CDU: 821.134.3(81)-3

ISBN 978 85 08 17127-9 (aluno)
CL: 738861
CAE 530921 AL
OP: 248463
2024
10ª edição
10ª impressão
Impressão e acabamento: EGB Editora Gráfica Bernardi Ltda .

Avenida das Nações Unidas, 7221 – CEP 05425-902 – São Paulo, SP
Atendimento ao cliente: 4003-3061 – atendimento@aticascipione.com.br
www.coletivoleitor.com.br

APRESENTAÇÃO

Favela, o quarto de despejo de uma cidade

O cotidiano da favela já foi contado por diversos autores, de diferentes maneiras. Neste livro, a perspectiva é outra: é a de quem vive na favela, mais especificamente a de uma catadora de papel que só pôde chegar até o segundo ano do ensino fundamental.

Quarto de despejo é uma edição dos diários de Carolina Maria de Jesus, migrante de Sacramento, Minas Gerais, mãe solteira e moradora da primeira grande favela de São Paulo, a Canindé, que foi desocupada em meados dos anos 1960 para a construção da Marginal do Tietê.

O livro relata a amarga realidade dos favelados na década de 1950: os costumes de seus habitantes, a violência, a miséria, a fome e as dificuldades para se obter comida. O tempo passou, a cidade cresceu, mas a realidade de quem vive na miséria não mudou muito. Isso faz do relato de Carolina uma obra atemporal, sempre emocionante.

Best-seller traduzido para 13 línguas, *Quarto de despejo* também é um referencial importante para estudos culturais e sociais, tanto no Brasil como no exterior.

Conheça a história do descobrimento deste livro no prefácio a seguir, escrito pelo jornalista Audálio Dantas. Ao final do livro, veja o depoimento de Carolina sobre a sua luta pela sobrevivência e sobre o seu ponto de vista em relação ao sucesso desta obra.

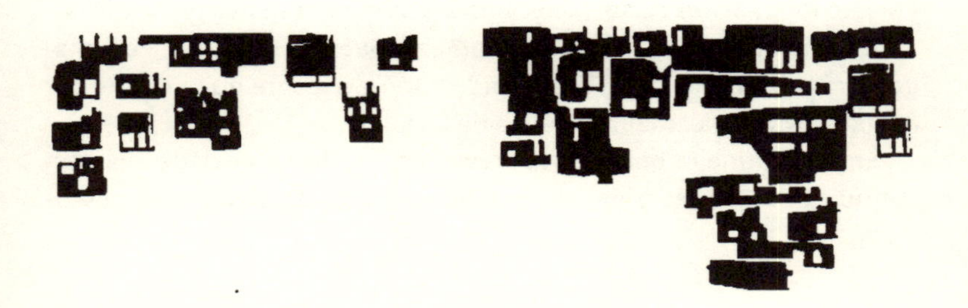

PREFÁCIO

A atualidade do mundo de Carolina

Audálio Dantas

Para os leitores desta edição de *Quarto de despejo*, é preciso que eu me apresente. Entrei na história deste livro como jornalista, verde ainda, com a emoção e a certeza de quem acreditava poder mudar o mundo. Ou, pelo menos, a favela do Canindé e outras favelas espalhadas pelo Brasil. Repórter, fui encarregado de escrever uma matéria sobre uma favela que se expandia na beira do rio Tietê, no bairro do Canindé. Lá, no rebuliço favelado, encontrei a negra Carolina, que logo se colocou como alguém que tinha o que dizer. E tinha! Tanto que, na hora, desisti de escrever a reportagem.

A história da favela que eu buscava estava escrita em uns vinte cadernos encardidos que Carolina guardava em seu barraco. Li, e logo vi: repórter nenhum, escritor nenhum poderia escrever melhor aquela história — a visão de *dentro* da favela.

Da reportagem — reprodução de trechos do diário — publicada na *Folha da Noite*, em 1958, e mais tarde (1959) na revista *O Cruzeiro*, chegou-se ao livro, em 1960. Fui o responsável pelo que se chama edição de texto. Li todos aqueles vinte cadernos que continham o dia a dia de Carolina e de seus companheiros de triste viagem.

A repetição da rotina favelada, por mais fiel que fosse, seria exaustiva. Por isso foram feitos cortes, selecionados os trechos mais significativos.

A fome aparece no texto com uma frequência irritante. Personagem trágica, inarredável. Tão grande e tão marcante que adquire cor na narrativa tragicamente poética de Carolina.

Em sua rotineira busca da sobrevivência no lixo da cidade, ela descobriu que as coisas todas do mundo — o céu, as árvores, as pessoas, os bichos — ficavam amarelas quando a fome atingia o limite do suportável.

Carolina viu a cor da fome — a Amarela.

No tratamento que dei ao original, muitas vezes, por excessiva presença, *a Amarela* saiu de cena, mas não de modo a diminuir a sua importância na tragédia favelada. Mexi, também, na pontuação, assim como em algumas palavras cuja grafia poderia levar à incompreensão da leitura. E foi só, até a última linha.

O tempo operou profundas mudanças na vida de Carolina, a partir do momento em que os seus escritos — registros do dia a dia angustiante da miséria favelada — foram impressos em letra de forma, num livro que correu mundo, lido, discutido e admirado em 13 idiomas.

Um livro assim, forte e original, só podia gerar muita polêmica. Para começar, ele rompeu a rotina das magras edições de dois, três mil exemplares, no Brasil. Em poucos meses, a partir de agosto de 1960, quando foi lançado, sucessivas edições atingiram, em conjunto, as alturas dos 100 mil exemplares.

Os jornais, as revistas, o rádio e a televisão, primeiro aqui e depois no mundo inteiro, abriram espaço para o livro e para a história de sua autora.

O sucesso do livro — uma tosca, acabrunhante e até lírica narrativa do sofrimento do homem relegado à condição mais desesperada e humilhante de vida — foi também o sucesso pessoal de sua autora, transformada de um dia para outro numa patética Cinderela, saída do borralho do lixo para brilhar intensamente sob as luzes da cidade.

Carolina, querendo ou não, transformou-se em artigo de consumo e, em certo sentido, num bicho estranho que se exibia "como uma excitante curiosidade", conforme registrou o escritor Luís Martins.

Mas, acima da excitação dos consumidores fascinados pela novidade, pelo inusitado feito daquela negra semianalfabeta que alcançara o estrelato e, mais do que isto, ganhara dinheiro, pairava a força do livro, sua importância como depoimento, sua autenticidade e sua paradoxal beleza.

Sobre ele escreveram alguns dos melhores escritores brasileiros: Rachel de Queiroz, Sérgio Milliet, Helena Silveira, Manuel Bandeira, entre outros. O que não impediu que alguns torcessem o nariz para o livro e até lançassem dúvidas sobre a autenticidade do texto de Carolina. Aquilo, diziam, só podia ser obra de um espertalhão, um golpe publicitário.

O poeta Manuel Bandeira, em lúcido artigo, colocou as coisas no devido lugar: ninguém poderia inventar aquela linguagem, aquele dizer as coisas com *extraordinária força criativa* mas típico de quem ficou a meio caminho da instrução primária. Exatamente o caso de Carolina, que só pôde chegar até o segundo ano de uma escola primária de Sacramento, Minas Gerais.

O impacto causado por *Quarto de despejo* foi além das discussões sobre o texto. O problema da favela, na época de dimensões ainda reduzidas em São Paulo, foi discutido por técnicos e políticos. Um grupo de estudantes fundou o Movimento Universitário de Desfavelamento, cuja sigla — MUD — revelava, no mínimo, uma intenção generosa. Ou um sonho. E Carolina era alçada à condição de cidadã, com título oficial conferido pela Câmara Municipal de São Paulo.

O cenário em que foi escrito o diário já não é o mesmo. Parte dele deu lugar ao asfalto de uma nova avenida, por coincidência chamada Marginal. A Marginal do Tietê, que passa por ali onde até meados dos anos 1960 se erguia o caos semiurbano e sub-humano da favela do Canindé, em São Paulo. O resto foi ocupado por construções sólidas, ordenadas, limpas, aprumadas no lugar dos barracos cujos ocupantes foram para outros cantos da cidade, para outros quartos de despejo.

Mais de trinta anos decorridos desde o aparecimento de *Quarto de despejo*, a cidade tem outra cara, esparramada para muito além da avenida Marginal. E a favela do Canindé, onde viveu Carolina Maria de Jesus, na rua A, barraco nº 9, multiplicou-se em dezenas, centenas de outras.

Assim, *Quarto de despejo* não é um livro de ontem, é de hoje. Os quartos de despejo, multiplicados, estão transbordando.

1993

Nota dos editores:
Esta edição respeita fielmente a linguagem da autora, que muitas vezes contraria a gramática, incluindo a grafia e a acentuação das palavras, mas que por isso mesmo traduz com realismo a forma de o povo enxergar e expressar seu mundo.

Este livro é dedicado aos netos de Carolina Maria de Jesus: Ricardo, Luciana, Marisa, Paulo César, Adriana, Lilian, Eliane, Elisa, Ana, Jackson e Rafael.

15 de julho de 1955 Aniversário de minha filha Vera Eunice. Eu pretendia comprar um par de sapatos para ela. Mas o custo dos generos alimenticios nos impede a realização dos nossos desejos. Atualmente somos escravos do custo de vida. Eu achei um par de sapatos no lixo, lavei e remendei para ela calçar.

Eu não tinha um tostão para comprar pão. Então eu lavei 3 litros e troquei com o Arnaldo. Ele ficou com os litros e deu-me pão. Fui receber o dinheiro do papel. Recebi 65 cruzeiros. Comprei 20 de carne. 1 quilo de toucinho e 1 quilo de açucar e seis cruzeiros de queijo. E o dinheiro acabou-se.

Passei o dia indisposta. Percebi que estava resfriada. A noite o peito doia-me. Comecei tussir. Resolvi não sair a noite para catar papel. Procurei meu filho João José. Ele estava na rua Felisberto de Carvalho, perto do mercadinho. O onibus atirou um garoto na calçada e a turba afluiu-se. Ele estava no nucleo. Dei-lhe uns tapas e em cinco minutos ele chegou em casa.

Ablui as crianças, aleitei-as e ablui-me e aleitei-me. Esperei até as 11 horas, um certo alguem. Ele não veio. Tomei um melhoral e deitei-me novamente. Quando despertei o astro rei deslisava no espaço. A minha filha Vera Eunice dizia: — Vai buscar agua mamãe!

16 de julho Levantei. Obedeci a Vera Eunice. Fui buscar agua. Fiz o café. Avisei as crianças que não tinha pão. Que tomassem café simples e comesse carne com farinha. Eu estava indisposta, resolvi benzer-me. Abri a boca duas vezes, certifiquei-me que estava com mau olhado. A indisposição desapareceu sai e fui ao seu Manoel levar umas latas para vender. Tudo quanto eu encontro no lixo eu cato para vender. Deu 13 cruzeiros. Fiquei pensando que precisava comprar pão, sabão e leite para a Vera Eunice. E os 13 cruzeiros não dava! Cheguei em casa, aliás no meu barracão, nervosa e exausta. Pensei na vida atribulada que eu levo. Cato papel, lavo roupa para dois jovens, permaneço na rua o dia todo. E estou sempre em falta. A Vera não tem sapatos. E ela não gosta de andar descalça. Faz uns dois anos, que eu pretendo comprar uma maquina de moer carne. E uma maquina de costura.

Cheguei em casa, fiz o almoço para os dois meninos. Arroz, feijão e carne. E vou sair para catar papel. Deixei as crianças. Recomendei-lhes para brincar no quintal e não sair na rua, porque os pessimos vizinhos que eu tenho não dão socego aos meus filhos. Saí indisposta, com vontade de deitar. Mas, o pobre não repousa. Não tem o previlegio de gosar descanço. Eu estava nervosa interiormente, ia maldizendo a sorte (...) Catei dois sacos de papel. Depois retornei, catei uns ferros, uma latas, e lenha. Vinha pensando. Quando eu chegar na favela vou encontrar novidades. Talvez a D. Rosa ou a indolente Maria dos Anjos brigaram com meus filhos. Encontrei a Vera Eunice dormindo e os meninos brincando na rua. Pensei: são duas horas. Creio que vou passar o dia sem novidade! O João José veio avisar-me que a perua que dava dinheiro estava chamando para dar mantimentos. Peguei a sacola e fui. Era o dono do Centro Espirita da rua Vergueiro 103. Ganhei dois quilos de arroz, idem de feijão e dois quilos de macarrão. Fiquei contente. A perua foi-se embora. O nervoso interior que eu sentia ausentou-se. Aproveitei a minha calma interior para eu ler. Peguei uma revista e sentei no capim, recebendo os raios solar para aquecer-me. Li um conto. Quando iniciei outro surgiu os filhos pedindo pão. Escrevi um bilhete e dei ao meu filho João José para ir ao Arnaldo comprar um sabão, dois melhoraes e o resto pão.

Puis agua no fogão para fazer café. O João retornou-se. Disse que havia perdido os melhoraes. Voltei com ele para procurar. Não encontramos.

Quando eu vinha chegando no portão encontrei uma multidão. Crianças e mulheres, que vinha reclamar que o José Carlos havia apedrejado suas casas. Para eu repreendê-lo.

17 de julho Domingo. Um dia maravilhoso. O céu azul sem nuvem. O Sol está tepido. Deixei o leito as 6,30. Fui buscar agua. Fiz café. Tendo só um pedaço de pão e 3 cruzeiros. Dei um pedaço a cada um, puis feijão no fogo que ganhei ontem do Centro Espirita da Rua Vergueiro 103. Fui lavar minhas roupas. Quando retornei do rio o feijão estava cosido. Os filhos pediram pão. Dei os 3 cruzeiros ao João José para ir comprar pão. Hoje é a Nair Mathias quem começou impricar com os meus filhos. A Silvia e o esposo já iniciaram o espetaculo ao ar livre. Ele está lhe espancando. E eu estou revoltada com o que as crianças presenciam. Ouvem palavras de baixo calão. Oh! se eu pudesse mudar daqui para um nucleo mais decente.

Fui na D. Florela pedir um dente de alho. E fui na D. Analia. E recebi o que esperava:

— Não tenho!

Fui torcer as minhas roupas. A D. Aparecida perguntou-me:

— A senhora está gravida?

— Não senhora — respondi gentilmente.

E lhe chinguei interiormente. Se estou gravida não é de sua conta. Tenho pavor destas mulheres da favela. Tudo quer saber! A lingua delas é como os pés de galinha. Tudo espalha. Está circulando rumor que eu estou gravida! E eu, não sabia!

Saí a noite, e fui catar papel. Quando eu passava perto do campo do São Paulo[1], varias pessoas saiam do campo. Todas brancas, só um preto. E o preto começou insultar-me:

---

1 *Na época, o campo do São Paulo Futebol Clube localizava-se no bairro do Canindé, onde hoje é o estádio da Portuguesa de Desportos. (N.E.)*

— Vai catar papel, minha tia? Olha o buraco, minha tia.

Eu estava indisposta. Com vontade de deitar. Mas, prossegui. Encontrei varias pessoas amigas e parava para falar. Quando eu subia a Avenida Tiradentes encontrei umas senhoras. Uma perguntou-me:

— Sarou as pernas?

Depois que operei, fiquei boa, graças a Deus. E até pude dançar no Carnaval, com minha fantasia de penas. Quem operou-me foi o Dr. José Torres Netto. Bom médico. E falamos de politicos. Quando uma senhora perguntou-me o que acho do Carlos Lacerda, respondi concientemente:

— Muito inteligente. Mas não tem iducação. É um politico de cortiço. Que gosta de intriga. Um agitador.

Uma senhora disse que foi pena! A bala que pegou o major podia acertar no Carlos Lacerda[2].

— Mas o seu dia... chegará — comentou outra.

Varias pessoas afluiram-se. Eu, era o alvo das atenções. Fiquei apreensiva, porque eu estava catando papel, andrajosa (...) Depois, não mais quiz falar com ninguem, porque precisava catar papel. Precisava de dinheiro. Eu não tinha dinheiro em casa para comprar pão. Trabalhei até as 11,30. Quando cheguei em casa era 24 horas. Esquentei comida, dei para a Vera Eunice, jantei e deitei-me. Quando despertei, os raios solares penetrava pelas frestas do barracão.

18 de julho Levantei as 7 horas. Alegre e contente. Depois que veio os aborrecimentos. Fui no deposito receber... 60 cruzeiros. Passei no Arnaldo. Comprei pão, leite, paguei o que devia e reservei dinheiro para comprar Licor de Cacau para Vera Eunice. Cheguei no inferno. Abri a porta e pus os meninos para fora. A D. Rosa, assim que viu o meu filho José Carlos começou impricar com ele. Não queria que o menino passasse perto do barracão dela. Saiu com um

---

2 *Carlos Lacerda (1914-1977): político carioca, opositor ferrenho do segundo governo de Getúlio Vargas. Em 1954 sofreu um atentado, no qual morreu o major Rubens Vaz, fato que desencadeou grave crise política no país. (N.E.)*

pau para espancá-lo. Uma mulher de 48 anos brigar com criança! As vezes eu saio, ela vem até a minha janela e joga o vaso de fezes nas crianças. Quando eu retorno, encontro os travesseiros sujos e as crianças fétidas. Ela odeia-me. Diz que sou preferida pelos homens bonitos e distintos. E ganho mais dinheiro do que ela.

Surgio a D. Cecilia. Veio repreender os meus filhos. Lhe joguei uma direta, ela retirou-se. Eu disse:

— Tem mulher que diz saber criar os filhos, mas algumas tem filhos na cadeia classificado como mau elemento.

Ela retirou-se. Veio a indolente Maria dos Anjos. Eu disse:

— Eu estava discutindo com a nota, já começou chegar os trocos. Os centavos. Eu não vou na porta de ninguem. É vocês quem vem na minha porta aborrecer-me. Eu nunca chinguei filhos de ninguem, nunca fui na porta de vocês reclamar contra seus filhos. Não pensa que eles são santos. É que eu tolero crianças.

Veio a D. Silvia reclamar contra os meus filhos. Que os meus filhos são mal iducados. Mas eu não encontro defeito nas crianças. Nem nos meus nem nos dela. Sei que criança não nasce com senso. Quando falo com uma criança lhe dirijo palavras agradaveis. O que aborrece-me é elas vir na minha porta para perturbar a minha escassa tranquilidade interior (...) Mesmo elas aborrecendo-me, eu escrevo. Sei dominar meus impulsos. Tenho apenas dois anos de grupo escolar, mas procurei formar o meu carater. A unica coisa que não existe na favela é solidariedade.

Veio o peixeiro Senhor Antonio Lira e deu-me uns peixes. Vou fazer o almoço. As mulheres sairam, deixou-me em paz por hoje. Elas já deram o espetaculo. A minha porta atualmente é theatro. Todas crianças jogam pedras, mas os meus filhos são os bodes expiatorios. Elas alude que eu não sou casada. Mas eu sou mais feliz do que elas. Elas tem marido. Mas, são obrigadas a pedir esmolas. São sustentadas por associações de caridade.

Os meus filhos não são sustentados com pão de igreja. Eu enfrento qualquer especie de trabalho para mantê-los. E elas, tem que mendigar e ainda apanhar. Parece tambor. A noite enquanto elas pede socorro eu tranquilamente no meu barracão ouço valsas vienenses. Enquanto os esposos quebra as tabuas do barracão eu e meus filhos dormimos socegados. Não invejo as mulheres casadas da favela que levam vida de escravas indianas.

Não casei e não estou descontente. Os que preferiu me eram soezes e as condições que eles me impunham eram horriveis.

Tem a Maria José, mais conhecida por Zefa, que reside no barracão da Rua B numero 9. É uma alcoolatra. Quando está gestante bebe demais. E as crianças nascem e morrem antes dos doze meses. Ela odeia-me porque os meus filhos vingam e por eu ter radio. Um dia ela pediu-me o radio emprestado. Disse-lhe que não podia emprestar. Que ela não tinha filhos, podia trabalhar e comprar. Mas, é sabido que pessoas que são dadas ao vicio da embriaguês não compram nada. Nem roupas. Os ebrios não prosperam. Ela as vezes joga agua nos meus filhos. Ela alude que eu não expanco os meus filhos. Não sou dada a violência. O José Carlos disse:

— Não fique triste mamãe! Nossa Senhora Aparecida há de ter dó da senhora. Quando eu crescer eu compro uma casa de tijolos para a senhora.

Fui catar papel e permaneci fora de casa uma hora. Quando retornei vi varias pessoas as margens do rio. É que lá estava um senhor inconciente pelo alcool e os homens indolentes da favela lhe vasculhavam os bolsos. Roubaram o dinheiro e rasgaram os documentos (...) É 5 horas. Agora que o Senhor Heitor ligou a luz! E eu, vou lavar as crianças para irem para o leito, porque eu preciso sair. Preciso dinheiro para pagar a luz. Aqui é assim. A gente não gasta luz, mas precisa pagar. Saí e fui catar papel. Andava depressa porque já era tarde. Encontrei uma senhora. Ia maldizendo sua vida conjugal. Observei mas não disse nada. (...) Amarrei os sacos, puis as latas que catei no outro saco e vim para casa. Quando cheguei liguei o radio para saber as horas. Era 23,55. Esquentei comida, li, despi-me e depois deitei. O sono surgiu logo.

19 de julho Despertei as 7 horas com a conversa dos meus filhos. Deixei o leito, fui buscar agua. As mulheres já estavam na torneira. As latas em fila. Assim que cheguei a Florenciana perguntou-me:

— De que partido é aquela faixa?

Li P.S.B. e respondi Partido Social Brasileiro[3]. Passou o Senhor Germano, ela perguntou novamente:

— Senhor Germano, esta faixa é de que partido?

— Do Janio[4]!

Ela rejubilou-se e começou dizer que o Dr. Ademar de Barros[5] é um ladrão. Que só as pessoas que não presta é que aprecia e acata o Dr. Adhemar. Eu, e D. Maria Puerta, uma espanhola muito boa, defendiamos o Dr. Adhemar. D. Maria disse:

— Eu, sempre fui ademarista. Gosto muito dele, e de D. Leonor.

A Florenciana perguntou:

— Ele já deu esmola a senhora?

— Já, deu o Hospital das Clínicas.

Chegou a minha vez, puis a minha lata para encher. A Florenciana prosseguiu elogiando o Janio. A agua começou diminuir na torneira. Começaram a falar da Rosa. Que ela carregava agua desde as 4 horas da madrugada, que ela lavava toda roupa em casa. Que ela precisa pagar 20 cruzeiros por mês. Minha lata encheu, eu vim embora.

... Estive revendo os aborrecimentos que tive esses dias (...) Suporto as contingências da vida resoluta. Eu não consegui armazenar para viver, resolvi armazenar paciência.

Nunca feri ninguem. Tenho muito senso! Não quero ter processos. O meu risgistro geral é 845.936.

Fui no deposito receber o dinheiro do papel. 55 cruzeiros. Retornei depressa, comprei leite e pão. Preparei Toddy para as crianças, arrumei os leitos, puis feijão no fogo, varri o barraco. Chamei o Senhor Ireno Venancio da Silva para fazer um balanço para os me-

---

3 *Na verdade, Partido Socialista Brasileiro, que tinha apoiado Jânio Quadros ao governo do Estado de São Paulo no ano anterior e que então apoiava Juarez Távora à Presidência da República.* (N.E.)

4 *Jânio Quadros (1917-1992): vereador e deputado estadual por São Paulo, foi prefeito da capital e governador do Estado, antes de chegar à Presidência da República em 1961, renunciando sete meses depois de assumir o cargo.* (N.E.)

5 *Ademar de Barros (1901-1969): político paulista, foi por duas vezes governador do Estado.* (N.E.)

ninos. Para ver se eles permanece no quintal para os visinhos não brigar com eles. Dei-lhe 16 cruzeiros. Enquanto ele fazia o balanço, eu fui ensaboar as roupas. Quando retornei, o Senhor Ireno estava terminando o balanço. Fiz alguns reparos e ele terminou. Os meninos deu valor ao balanço só na hora. Todos queriam balançar ao mesmo tempo!

Fechei a porta e fui vender as latas. Levei os meninos. O dia está calido. E eu gosto que eles receba os raios solares. Que suplicio! Carregar a Vera e levar o saco na cabeça. Vendi as latas e os metais. Ganhei 31 cruzeiros. Fiquei contente. Perguntei:

— Seu Manoel, o senhor não errou na conta?

— Não. Porque?

— Porque o saco de latas não pesava tanto para eu ganhar 31 cruzeiros. É a quantia que eu preciso para pagar a luz.

Despedi-me e retornei-me. Cheguei em casa, fiz o almoço. Enquanto as panelas fervia eu escrevi um pouco. Dei o almoço as crianças, e fui no Klabin[6] catar papel. Deixei as crianças brincando no quintal. Tinha muito papel. Trabalhei depressa pensando que aquelas bestas humanas são capás de invadir o meu barracão e maltratar meus filhos. Trabalhei apreensiva e agitada. A minha cabeça começou doer. Elas costuma esperar eu sair para vir no meu barracão expancar os meus filhos. Justamente quando eu não estou em casa. Quando as crianças estão sosinhas e não podem defender-se.

... Nas favelas, as jovens de 15 anos permanecem até a hora que elas querem. Mescla-se com as meretrizes, contam suas aventuras (...) Há os que trabalham. E há os que levam a vida a torto e a direito. As pessoas de mais idade trabalham, os jovens é que renegam o trabalho. Tem as mães, que catam frutas e legumes nas feiras. Tem as igrejas que dá pão. Tem o São Francisco que todos os meses dá mantimentos, café, sabão etc.

... Elas vai na feira, cata cabeça de peixe, tudo que pode aproveitar. Come qualquer coisa. Tem estomago de cimento armado (...)

---

6 *Companhia Fabricadora de Papel, fundada por Maurício Klabin, um dos pioneiros da industrialização no país.* (N.E.)

As vezes eu ligo o radio e danço com as crianças, simulamos uma luta de boxe. Hoje comprei marmelada para eles. Assim que dei um pedaço a cada um percebi que eles me dirigiam um olhar terno. E o meu João José disse:

— Que mamãe boa!

Quando as mulheres feras invade o meu barraco, os meus filhos lhes joga pedras. Elas diz:

— Que crianças mal iducadas!

Eu digo:

— Os meus filhos estão defendendo-me. Vocês são incultas, não pode compreender. Vou escrever um livro referente a favela. Hei de citar tudo que aqui se passa. E tudo que vocês me fazem. Eu quero escrever o livro, e vocês com estas cenas desagradaveis me fornece os argumentos.

A Silvia pediu-me para retirar o seu nome do meu livro. Ela disse:

— Você é mesmo uma vagabunda. Dormia no Albergue Noturno. O seu fim era acabar na maloca.

Eu disse:

— Está certo. Quem dorme no Albergue Noturno são os indigentes. Não tem recurso e o fim é mesmo nas malocas, e Você, que diz nunca ter dormido no Albergue Noturno, o que veio fazer aqui na maloca? Você era para estar residindo numa casa propria. Porque a sua vida rodou igual a minha?

Ela disse:

— A unica coisa que você sabe fazer é catar papel.

Eu disse:

— Cato papel. Estou provando como vivo!

... Estou residindo na favela. Mas se Deus me ajudar hei de mudar daqui. Espero que os políticos estingue as favelas. Há os que prevalecem do meio em que vive, demonstram valentia para intimidar os fracos. Há casa que tem cinco filhos e a velha é quem anda o dia inteiro pedindo esmola. Há as mulheres que os esposos adoece e elas no penado da enfermidade mantem o lar. Os esposos quando vê as esposas manter o lar, não saram nunca mais.

... Hoje não saí para catar papel. Vou deitar. Não estou cançada e não tenho sono. Hontem eu bebi uma cerveja. Hoje estou com vontade de beber outra vez. Mas, não vou beber. Não quero viciar. Tenho responsabilidade. Os meus filhos! E o dinheiro gasto em cerveja faz falta para o escencial. O que eu reprovo nas favelas são os pais que mandam os filhos comprar pinga e dá as crianças para beber. E diz:

— Ele tem lumbriga.

Os meus filhos reprova o alcool. O meu filho João José diz:

— Mamãe, quando eu crescer, eu não vou beber. O homem que bebe não compra roupas. Não tem radio, não faz uma casa de tijolo.

O dia de hoje me foi benefico. As rascoas da favela estão vendo eu escrever e sabe que é contra elas. Resolveram me deixar em paz. Nas favelas, os homens são mais tolerantes, mais delicados. As bagunceiras são as mulheres. As intrigas delas é igual a de Carlos Lacerda que irrita os nervos. E não há nervos que suporta. Mas eu sou forte! Não deixo nada imprecionar-me profundamente. Não me abato.

20 de julho Deixei o leito as 4 horas para escrever. Abri a porta e contemplei o céu estrelado. Quando o astro-rei começou despontar eu fui buscar agua. Tive sorte! As mulheres não estavam na torneira. Enchi minha lata e zarpei. (...) Fui no Arnaldo buscar o leite e o pão. Quando retornava encontrei o senhor Ismael com uma faca de 30 centimetros mais ou menos. Disse-me que estava a espera do Binidito e do Miguel para matá-los, que eles lhe expancaram quando ele estava embriagado.

Lhe aconselhei a não brigar, que o crime não trás vantagens a ninguem, apenas deturpa a vida. Senti o cheiro de alcool, disisti. Sei que os ebrios não atende. O senhor Ismael quando não está alcoolizado demonstra sua sapiencia. Já foi telegrafista. E do Circulo Exoterico. Tem conhecimentos biblicos, gosta de dar conselhos. Mas não tem valor. Deixou o alcool lhe dominar, embora seu conselho seja util para os que gostam de levar vida decente.

Preparei a refeição matinal. Cada filho prefere uma coisa. A Vera, mingau de farinha de trigo torrada. O João José, café puro. O José Carlos, leite branco. E eu, mingau de aveia.

Já que não posso dar aos meus filhos uma casa decente para residir, procuro lhe dar uma refeição condigna.

Terminaram a refeição. Lavei os utensilios. Depois fui lavar roupas. Eu não tenho homem em casa. É só eu e meus filhos. Mas eu não pretendo relaxar. O meu sonho era andar bem limpinha, usar roupas de alto preço, residir numa casa confortavel, mas não é possivel. Eu não estou descontente com a profissão que exerço. Já habituei-me andar suja. Já faz oito anos que cato papel. O desgosto que tenho é residir em favela.

... Durante o dia, os jovens de 15 e 18 anos sentam na grama e falam de roubo. E já tentaram assaltar o emporio do senhor Raymundo Guello. E um ficou carimbando com uma bala. O assalto teve inicio as 4 horas. Quando o dia clareou as crianças catava dinheiro na rua e no capinzal. Teve criança que catou vinte cruzeiros em moeda. E sorria exibindo o dinheiro. Mas o juiz foi severo. Castigou impiedosamente.

Fui no rio lavar as roupas e encontrei D. Mariana. Uma mulher agradavel e decente. Tem 9 filhos e um lar modelo. Ela e o esposo tratam-se com iducação. Visam apenas viver em paz. E criar filhos. Ela tambem ia lavar roupas. Ela disse-me que o Binidito da D. Geralda todos os dias ia preso. Que a Radio Patrulha cançou de vir buscá-lo. Arranjou serviço para ele na cadeia. Achei graça. Dei risada!... Estendi as roupas rapidamente e fui catar papel. Que suplicio catar papel atualmente! Tenho que levar a minha filha Vera Eunice. Ela está com dois anos, e não gosta de ficar em casa. Eu ponho o saco na cabeça e levo-a nos braços. Suporto o peso do saco na cabeça e suporto o peso da Vera Eunice nos braços. Tem hora que revolto-me. Depois domino-me. Ela não tem culpa de estar no mundo.

Refleti: preciso ser tolerante com os meus filhos. Eles não tem ninguem no mundo a não ser eu. Como é pungente a condição de mulher sozinha sem um homem no lar.

Aqui, todas impricam comigo. Dizem que falo muito bem. Que sei atrair os homens. (...) Quando fico nervosa não gosto de discutir. Prefiro escrever. Todos os dias eu escrevo. Sento no quintal e escrevo.

... Não posso sair para catar papel. A Vera Eunice não quer dormir, e nem o José Carlos. A Silvia e o marido estão discutindo. Tem 9 filhos e não respeitam-se. Brigam todos os dias.

... Vendi o papel, ganhei 140 cruzeiros. Trabalhei em excesso, senti-me mal. Tomei umas pilulas de vida[7] e deitei. Quando eu ia dormindo despertava com a voz do senhor Antonio Andrade discutindo com a esposa.

21 de julho Despertei com a voz de D. Maria perguntando-me se eu queria comprar banana e alface. Olhei as crianças. Estavam dormindo. Fiquei quieta. Quando eles vê as frutas sou obrigada a comprar. (...) Mandei o meu filho João José no Arnaldo comprar açucar e pão. Depois fui lavar roupas. Enquanto as roupas corava eu sentei na calçada para escrever. Passou um senhor e perguntou-me:

— O que escreve?

— Todas as lambanças que pratica os favelados, estes projetos de gente humana.

Ele disse:

— Escreve e depois dá a um critico para fazer a revisão.

Olhou as crianças ao meu redor e perguntou:

— Estes filhos são seus?

Olhei as crianças. Meu, era apenas dois. Mas como todas eram da mesma cor, afirmei que sim.

— Seu marido onde trabalha?

— Não tenho marido, e nem quero!

Uma senhora que estava me olhando escrever despediu-se. Pensei: talvez ela não tenha apreciado a minha resposta.

— É muito filho para sustentar.

Ele abriu a carteira. Pensei: agora ele vai dar dinheiro a qualquer uma destas crianças pensando que todas são meus filhos. Fui imprudente mentindo.

Mas a minha filha Vera Eunice ergueu o braço e disse:

---

7 *Medicamento indicado como laxante ou purgante. (N.E.)*

— Dá, eu té. Compá papato.

Eu disse:

— Ela está dizendo que quer o dinheiro para comprar sapatos.

Ele disse:

— Dá para sua mãe.

Ergui os olhos para observá-lo. Duas meninas lhe chamava papai! Eu conheço-o de vista. Já falei com ele na farmacia quando levei a Vera para tomar injeção contra resfriado. Ele seguio. Eu olhei o dinheiro que ele deu a Vera. Cem cruzeiros!

Em poucos minutos o boato circulou que a Vera ganhou cem cruzeiros. E pensei na eficiencia da lingua humana para transmitir uma noticia. As crianças aglomerava-se. Eu levantei e fui sentar perto da casa de D. Mariana. E lhe pedir um pouco de café. Já habituei beber café na casa do Seu Lino. Tudo que eu peço a eles emprestado, eles empresta. Quando eu vou pagar, não recebem.

Depois fui torcer as roupas e vim preparar o almoço. Hoje eu estou cantando. Estou alegre e já pedi aos visinhos para não me aborrecer. Todos nois temos o nosso dia de alegria. Hoje é o meu!

... Uma menina por nome Amalia diz a mãe que o espirito lhe pega. Saiu correndo para se jogar no rio. Varias mulheres lhe impedio o gesto. Passei o resto da tarde escrevendo. As quatro e meia o senhor Heitor ligou a luz. Dei banho nas crianças e preparei para sair. Fui catar papel, mas estava indisposta. Vim embora porque o frio era demais. Quando cheguei em casa era 22,30. Liguei o radio. Tomei banho. Esquentei comida. Li um pouco. Não sei dormir sem ler. Gosto de manusear um livro. O livro é a melhor invenção do homem.

22 de julho ... Tem hora que revolto com a vida atribulada que levo. E tem hora que me conformo. Conversei com uma senhora que cria uma menina de cor. É tão boa para a menina... Lhe compra vestidos de alto preço. Eu disse:

— Antigamente eram os pretos que criava os brancos. Hoje são os brancos que criam os pretos.

A senhora disse que cria a menina desde 9 meses. E que a negrinha dorme com ela e que lhe chama de mãe.

Surgiu um moço. Disse ser seu filho. Contei umas anedotas. Eles riram e eu segui cantando.

Comecei catar papel. Subi a rua Tiradentes, cumprimentei as senhoras que conheço. A dona da tinturaria disse:

— Coitada! Ela é tão boazinha.

Fiquei repetindo no pensamento: "Ela é boazinha!"

... Eu gosto de ficar dentro de casa, com as portas fechadas. Não gosto de ficar nas esquinas conversando. Gosto de ficar sozinha e lendo. Ou escrevendo! Virei na rua Frei Antonio Galvão. Quase não tinha papel. A D. Nair Barros estava na janela. (...) Eu falei que residia em favela. Que favela é o pior cortiço que existe.

... Enchi dois sacos na rua Alfredo Maia. Levei um até ao ponto e depois voltei para levar outro. Percorri outras ruas. Conversei um pouco com o senhor João Pedro. Fui na casa de uma preta levar umas latas que ela havia pedido. Latas grandes para plantar flores. Fiquei conhecendo uma pretinha muito limpinha que falava muito bem. Disse ser costureira, mas que não gostava da profissão. E que admirava-me. Catar papel e cantar.

Eu sou muito alegre. Todas manhãs eu canto. Sou como as aves, que cantam apenas ao amanhecer. De manhã eu estou sempre alegre. A primeira coisa que faço é abrir a janela e contemplar o espaço.

23 de julho ... Liguei o radio para ouvir o drama[8]. Fiz o almoço e deitei. Dormi uma hora e meia. Nem ouvi o final da peça. Mas, eu já conhecia a peça. Comecei fazer o meu diario. De vez em quando parava para repreender os meus filhos. Bateram na porta. Mandei o João José abrir e mandar entrar. Era o Seu João. Perguntou-me onde encontrar folhas de batatas para sua filha buchechar

---

8 *Referência às radionovelas, dramas radiofônicos de grande popularidade no Brasil no período do pós-guerra até meados da década de 1950.* (N.E.)

um dente. Eu disse que na Portuguesinha era possivel encontrar. Quiz saber o que eu escrevia. Eu disse ser o meu diario.

— Nunca vi uma preta gostar tanto de livros como você.

Todos tem um ideal. O meu é gostar de ler. O Seu João deu cinquenta centavos para cada menino. Quando ele me conheceu eu tinha só dois meninos.

Ninguem tem me aborrecido. Graças a Deus.

24 de julho Levantei cinco horas para ir buscar agua. Hoje é domingo, as favelas recolhem agua mais tarde. Mas, eu já habituei-me levantar cedo. Comprei pão e sabão. Puis feijão no fogo e fui lavar roupas. No rio chegou Adair Mathias, lamentando que sua mãe tinha saido, e ela tinha que fazer almoço e lavar roupas. Disse que sua mãe era forte, mas que agora lhe puzeram feitiço. Que o curador disse que era a feiticeira. Mas o feitiço que invade a familia Mathias é o alcool. Esta é a minha opinião.

A D. Mariana lamentava que seu esposo estava demorando a regressar. Puis as roupas para quarar e vim fazer o almoço. Quando cheguei em casa encontrei a D. Francisca brigando com meu filho João José. Uma mulher de quarenta anos discutindo com uma criança de seis anos. Puis o menino para dentro e fechei o portão. Ela continuou falando. Para fazer ela calar é preciso lhe dizer:

— Cala a boca tuberculosa!

Não gosto de aludir os males fisicos porque ninguem tem culpa de adquirir molestias contagiosas. Mas quando a gente percebe que não pode tolerar a impricancia do analfabeto, apela para as enfermidades.

O Seu João veio buscar as folhas de batatas. Eu disse-lhe:

— Se eu pudesse mudar desta favela! Tenho a impressão que estou no inferno.

... Sentei ao sol para escrever. A filha da Silvia, uma menina de seis anos, passava e dizia:

— Está escrevendo, negra fidida!

A mãe ouvia e não repreendia. São as mães que instigam.

25 de julho Amanheci contente. Estou cantando. As unicas horas que tenho socego aqui na favela é de manhã.

... Hoje a D. Francisca mandou sua filha de sete anos provocar-me, mas eu estava com muito sono. Fechei a porta e deitei. (...) Fui visitar o filho recem nascido de D. Maria Puerta, uma espanhola de primeira. A joia da favela. É o ouro no meio de chumbo.

27 de julho Levantei de manhã e fui buscar agua. Discuti com o esposo da Silvia porque ele não queria deixar eu encher minhas latas. Não tinha dinheiro em casa. Esquentei comida amanhecida e dei aos meninos.

... O Senhor Ireno disse-me que esta noite houve roubo na favela. Que roubaram roupas da D. Florela e mil cruzeiros de D. Paulina. O meu barracão tambem está sendo visado. Duas noites que não saio para catar papel. Para evitar aborrecimentos, eu levei o radio para a casa de D. Florela. E eu que estou querendo comprar uma maquina de costura...

... Seu Gino veio dizer-me para eu ir no quarto dele. Que eu estou lhe despresando. Disse-lhe: Não!

É que eu estou escrevendo um livro, para vendê-lo. Viso com esse dinheiro comprar um terreno para eu sair da favela. Não tenho tempo para ir na casa de ninguem. Seu Gino insistia. Ele disse:

— Bate que eu abro a porta.

Mas o meu coração não pede para eu ir no quarto dele.

28 de julho ... Fiquei horrorisada! Haviam queimado meus cinco sacos de papel. A neta de D. Elvira, a que tem duas meninas e que não quer mais filhos porque o marido ganha pouco, disse:

— Nós vimos a fumaça. Tambem a senhora põe os sacos ali no caminho. Ponhe lá no mato onde ninguem os vê. Eu ouvi dizer que vocês lá da favela vivem uns roubando os outros.

Quando elas falam não sabem dizer outra coisa a não ser roubo. Percebi que foi ela quem queimou meus sacos. Resolvi retirar com nojo delas. Aliás já haviam dito-me que eles são uns portugueses malvados. Que a D. Elvira nunca fez um favor a ninguem. Para eu ficar previnida. Não estou ressentida. Já estou tão habituada com a maldade humana.

Sei que os sacos vão me fazer falta.

FIM DO DIÁRIO DE 1955

2 de maio de 1958 Eu não sou indolente. Há tempos que eu pretendia fazer o meu diario. Mas eu pensava que não tinha valor e achei que era perder tempo.

... Eu fiz uma reforma em mim. Quero tratar as pessoas que eu conheço com mais atenção. Quero enviar um sorriso amavel as crianças e aos operarios.

... Recebi intimação para comparecer as 8 horas da noite na Delegacia do 12. Passei o dia catando papel. A noite os meus pés doiam tanto que eu não podia andar. Começou chover. Eu ia na Delegacia, ia levar o José Carlos. A intimação era para ele. O José Carlos está com 9 anos.

3 de maio ... Fui na feira da Rua Carlos de Campos, catar qualquer coisa. Ganhei bastante verdura. Mas ficou sem efeito, porque eu não tenho gordura. Os meninos estão nervosos por não ter o que comer.

6 de maio De manhã não fui buscar agua. Mandei o João carregar. Eu estava contente. Recebi outra intimação. Eu estava inspirada e os versos eram bonitos e eu esqueci de ir na Delegacia. Era 11 horas quando eu recordei do convite do ilustre tenente da 12ª Delegacia.

... O que eu aviso aos pretendentes a politica, é que o povo não tolera a fome. E preciso conhecer a fome para saber descrevê-la.

Estão construindo um circo aqui na Rua Araguaia. Circo Theatro Nilo.

9 de maio ... Eu cato papel, mas não gosto. Então eu penso: Faz de conta que eu estou sonhando.

10 de maio Fui na delegacia e falei com o tenente. Que homem amavel! Se eu soubesse que ele era tão amavel, eu teria ido na delegacia na primeira intimação. (...) O tenente interessou-se pela educação dos meus filhos. Disse-me que a favela é um ambiente propenso, que as pessoas tem mais possibilidades de delinquir do que tornar-se util a patria e ao país. Pensei: Se ele sabe disto, porque não faz um relatorio e envia para os politicos? O senhor Janio Quadros, o Kubstchek[9] e o Dr. Adhemar de Barros? Agora falar para mim, que sou uma pobre lixeira. Não posso resolver nem as minhas dificuldades.

... O Brasil precisa ser dirigido por uma pessoa que já passou fome. A fome tambem é professora.

Quem passa fome aprende a pensar no proximo, e nas crianças.

---

9 *Juscelino Kubitschek (1902-1976): presidente da República entre 1956 e 1961. No seu governo, buscou o desenvolvimento do país pela abertura aos investimentos estrangeiros e transferiu o Distrito Federal para Brasília. (N.E.)*

11 de maio Dia das Mães. O céu está azul e branco. Parece que até a Natureza quer homenagear as mães que atualmente se sentem infeliz por não poder realisar os desejos dos seus filhos.

... O sol vai galgando. Hoje não vai chover. Hoje é o nosso dia.

... A D. Teresinha veio visitar-me. Ela deu-me 15 cruzeiros. Disse-me que era para a Vera ir no circo. Mas eu vou deixar o dinheiro para comprar pão amanhã, porque eu só tenho 4 cruzeiros.

... Ontem eu ganhei metade de uma cabeça de porco no Frigorifico. Comemos a carne e guardei os ossos. E hoje puis os ossos para ferver. E com o caldo fiz as batatas. Os meus filhos estão sempre com fome. Quando eles passam muita fome eles não são exigentes no paladar.

... Surgiu a noite. As estrelas estão ocultas. O barraco está cheio de pernilongos. Eu vou acender uma folha de jornal e passar pelas paredes. É assim que os favelados matam mosquitos.

13 de maio Hoje amanheceu chovendo. É um dia simpatico para mim. É o dia da Abolição. Dia que comemoramos a libertação dos escravos.

... Nas prisões os negros eram os bodes espiatorios. Mas os brancos agora são mais cultos. E não nos trata com despreso. Que Deus ilumine os brancos para que os pretos sejam feliz.

Continua chovendo. E eu tenho só feijão e sal. A chuva está forte. Mesmo assim, mandei os meninos para a escola. Estou escrevendo até passar a chuva, para eu ir lá no senhor Manuel vender os ferros. Com o dinheiro dos ferros vou comprar arroz e linguiça. A chuva passou um pouco. Vou sair.

... Eu tenho tanto dó dos meus filhos. Quando eles vê as coisas de comer eles brada:

— Viva a mamãe!

A manifestação agrada-me. Mas eu já perdi o habito de sorrir. Dez minutos depois eles querem mais comida. Eu mandei o João pedir um pouquinho de gordura a Dona Ida. Ela não tinha. Mandei-lhe um bilhete assim:

— "Dona Ida peço-te se pode me arranjar um pouco de gordura, para eu fazer uma sopa para os meninos. Hoje choveu e eu não pude ir catar papel. Agradeço. Carolina."

... Choveu, esfriou. É o inverno que chega. E no inverno a gente come mais. A Vera começou pedir comida. E eu não tinha. Era a reprise do espetaculo. Eu estava com dois cruzeiros. Pretendia comprar um pouco de farinha para fazer um virado. Fui pedir um pouco de banha a Dona Alice. Ela deu-me a banha e arroz. Era 9 horas da noite quando comemos.

E assim no dia 13 de maio de 1958 eu lutava contra a escravatura atual — a fome!

15 de maio Tem noite que eles improvisam uma batucada e não deixa ninguem dormir. Os visinhos de alvenaria já tentaram com abaixo assinado retirar os favelados. Mas não conseguiram. Os visinhos das casas de tijolos diz:

— Os politicos protegem os favelados.

Quem nos protege é o povo e os Vicentinos. Os politicos só aparecem aqui nas epocas eleitoraes. O senhor Cantidio Sampaio quando era vereador em 1953 passava os domingos aqui na favela. Ele era tão agradavel. Tomava nosso café, bebia nas nossas xícaras. Ele nos dirigia as suas frases de viludo. Brincava com nossas crianças. Deixou boas impressões por aqui e quando candidatou-se a deputado venceu. Mas na Camara dos Deputados não criou um progeto para beneficiar o favelado. Não nos visitou mais.

... Eu classifico São Paulo assim: O Palacio, é a sala de visita. A Prefeitura é a sala de jantar e a cidade é o jardim. E a favela é o quintal onde jogam os lixos.

... A noite está tepida. O céu já está salpicado de estrelas. Eu que sou exotica gostaria de recortar um pedaço do céu para fazer um vestido. Começo ouvir uns brados. Saio para a rua. É o Ramiro que quer dar no senhor Binidito. Mal entendido. Caiu uma ripa no fio da luz e apagou a luz da casa do Ramiro. Por isso o Ramiro queria bater no senhor Binidito. Porque o Ramiro é forte e o senhor Binidito é fraco.

O Ramiro ficou zangado porque eu fui a favor do senhor Binidito. Tentei concertar os fios. Enquanto eu tentava concertar o fio o Ramiro queria expancar o Binidito que estava alcoolisado e não podia parar de pé. Estava inconciente. Eu não posso descrever o efeito do alcool porque não bebo. Já bebi uma vez, em carater experimental, mas o alcool não me tonteia.

Enquanto eu pretendia concertar a luz o Ramiro dizia:

— Liga a luz, liga a luz sinão eu te quebro a cara.

O fio não dava para ligar a luz. Precisava emendá-lo. Sou leiga na eletricidade. Mandei chamar o senhor Alfredo, que é o atual encarregado da luz. Ele estava nervoso. Olhava o senhor Binidito com despreso. A Juana que é esposa do Binidito deu cinquenta cruzeiros para o senhor Alfredo. Ele pegou o dinheiro. Não sorriu. Mas ficou alegre. Percebi pela sua fisionomia. Enfim o dinheiro dissipou o nervosismo.

16 de maio Eu amanheci nervosa. Porque eu queria ficar em casa, mas eu não tinha nada para comer.

... Eu não ia comer porque o pão era pouco. Será que é só eu que levo esta vida? O que posso esperar do futuro? Um leito em Campos do Jordão[10]. Eu quando estou com fome quero matar o Janio, quero enforcar o Adhemar e queimar o Juscelino. As dificuldades corta o afeto do povo pelos politicos.

17 de maio Levantei nervosa. Com vontade de morrer. Já que os pobres estão mal colocados, para que viver? Será que os pobres de outro País sofrem igual aos pobres do Brasil? Eu estava discontente que até cheguei a brigar com o meu filho José Carlos sem motivo.

---

10 *Campos do Jordão: estância climática paulista, tradicionalmente procurada para tratamento de tuberculose.* (N.E.)

... Chegou um caminhão aqui na favela. O motorista e o seu ajudante jogam umas latas. É linguiça enlatada. Penso: É assim que fazem esses comerciantes insaciaveis. Ficam esperando os preços subir na ganancia de ganhar mais. E quando apodrece jogam fora para os corvos e os infelizes favelados.

Não houve briga. Eu até estou achando isto aqui monotono. Vejo as crianças abrir as latas de linguiça e exclamar satisfeitas:

— Hum! Tá gostosa!

A Dona Alice deu-me uma para experimentar. Mas a lata está estufada. Já está podre.

18 de maio ... Na favela tudo circula num minuto. E a noticia já circulou que a D. Maria José faleceu. Varias pessoas vieram vê-la. Compareceu o vicentino que cuidava dela. Ele vinha visitá-la todos os domingos. Ele não tem nojo dos favelados. Cuida dos miseros favelados com carinho. Isto competia ao tal Serviço Social.

... Chegou o esquife. Cor roxa. Cor da amargura que envolve os corações dos favelados.

A D. Maria era crente e dizia que os crentes antes de morrer já estão no céu. O enterro é as treis da tarde. Os crentes estão entoando um hino. As vozes são afinadas. Tenho a impressão que são anjos que cantam. Não vejo ninguem bebado. Talvez seja por respeito a extinta. Mas duvido. Acho que é porque eles não tem dinheiro.

Chegou o carro para conduzir o corpo sem vida de Dona Maria José que vai para a sua verdadeira casa propria que é a sepultura. A Dona Maria José era muito boa. Dizem que os vivos devem perdoar os mortos. Porque todos nós temos os nossos momentos de fraqueza. Chegou o carro funebre. Estão esperando a hora para sair o enterro.

Vou parar de escrever. Vou torcer as roupas que ensaboei ontem. Não gosto de ver enterros.

19 de maio Deixei o leito as 5 horas. Os pardais já estão iniciando a sua sinfonia matinal. As aves deve ser mais feliz que nós. Talvez entre elas reina amizade e igualdade. (...) O mundo das aves deve ser melhor do que dos favelados, que deitam e não dormem porque deitam-se sem comer.

... O que o senhor Juscelino tem de aproveitavel é a voz. Parece um sabiá e a sua voz é agradavel aos ouvidos. E agora, o sabiá está residindo na gaiola de ouro que é o Catete[11]. Cuidado sabiá, para não perder esta gaiola, porque os gatos quando estão com fome contempla as aves nas gaiolas. E os favelados são os gatos. Tem fome.

... Deixei de meditar quando ouvi a voz do padeiro:

— Olha o pão doce, que está na hora do café!

Mal sabe ele que na favela é a minoria quem toma café. Os favelados comem quando arranjam o que comer. Todas as familias que residem na favela tem filhos. Aqui residia uma espanhola Dona Maria Puerta. Ela comprou um terreno e começou economisar para fazer a casa. Quando terminou a construção da casa os filhos estavam fracos do pulmão. E são oito crianças.

... Havia pessoas que nos visitava e dizia:

— Credo, para viver num lugar assim só os porcos. Isto aqui é o chiqueiro de São Paulo.

... Eu estou começando a perder o interesse pela existencia. Começo a revoltar. E a minha revolta é justa.

... Lavei o assoalho porque estou esperando a visita de um futuro deputado e ele quer que eu faça uns discursos para ele. Ele disse que pretende conhecer a favela, que se for eleito há de abolir as favelas.

... Contemplava extasiada o céu cor de anil. E eu fiquei compreendendo que eu adoro o meu Brasil. O meu olhar posou nos arvoredos que existe no inicio da rua Pedro Vicente. As folhas movia-se. Pensei: elas estão aplaudindo este meu gesto de amor a minha Patria. (...) Toquei o carrinho e fui buscar mais papeis. A Vera ia sorrindo. E eu pensei no Casemiro de Abreu, que disse: "Ri criança.

---

11 *Referência ao Palácio do Catete, situado no Rio de Janeiro e na época residência oficial do Presidente da República.* (N.E.)

A vida é bela". Só se a vida era boa naquele tempo. Porque agora a epoca está apropriada para dizer: "Chora criança. A vida é amarga".

... Eu ando tão preocupada que ainda não contemplei os jardins da cidade. É epoca das flores brancas, a cor que predomina. É o mês de Maria e os altares deve estar adornados com flores brancas. Devemos agradecer Deus, ou a Natureza que nos deu as estrelas para adornar o céu, e as flores para adornar os prados e as varzeas e os bosques.

Quando eu seguia na Avenida Cruzeiro do Sul ia uma senhora com um sapato azul e uma bolsa azul. A Vera disse-me:

— Olha mamãe. Que mulher bonita! Ela vai no meu carro.

É que a minha filha Vera Eunice diz que vai comprar um carro só para carregar pessoas bonitas. A mulher sorrio e a Vera prosseguio:

— A senhora é cheirosa!

Percebi que a minha filha sabe bajular. A mulher abriu a bolsa e deu-lhe 20 cruzeiros.

... Aqui na favela quase todos lutam com dificuldades para viver. Mas quem manifesta o que sofre é só eu. E faço isto em prol dos outros. Muitos catam sapatos no lixo para calçar. Mas os sapatos já estão fracos e aturam só 6 dias. Antigamente, isto é de 1950 até 1956, os favelados cantavam. Faziam batucadas. 1957, 1958, a vida foi ficando causticante. Já não sobra dinheiro para eles comprar pinga. As batucadas foram cortando-se até extinguir-se. Outro dia eu encontrei um soldado. Perguntou-me:

— Você ainda mora na favela?

— Porque?

— Porque vocês deixaram a Radio Patrulha em paz.

— É o dinheiro que não sobra para a aguardente.

... Deitei o João e a Vera e fui procurar o José Carlos. Telefonei para a Central. Nem sempre o telefone resolve as coisas. Tomei o bonde e fui. Eu não sentia frio. Parece que o meu sangue estava a 40 graus. Fui falar com a Policia Feminina que me deu a noticia do José Carlos que estava lá na rua Asdrubal Nascimento[12]. Que alivio! Só quem é mãe é que pode avaliar.

---

12 *Na rua Asdrúbal do Nascimento funcionava na época o Juizado de Menores. (N.E.)*

... Eu dirigi para a rua Asdrubal Nascimento. Eu não sei andar a noite. A fusão das luzes desviam-me do roteiro. Preciso ir perguntando. Eu gosto da noite só para contemplar as estrelas sintilantes, ler e escrever. Durante a noite há mais silencio.

Cheguei na rua Asdrubal Nascimento, o guarda mandou-me esperar. Eu contemplava as crianças. Umas choravam, outras estavam revoltadas com a interferencia da Lei que não lhes permite agir a sua vontade. O José Carlos estava chorando. Quando ouviu a minha voz ficou alegre. Percebi o seu contentamento. Olhou-me. E foi o olhar mais terno que eu já recebi até hoje.

... As oito e meia da noite eu já estava na favela respirando o odor dos excrementos que mescla com o barro podre. Quando estou na cidade tenho a impressão que estou na sala de visita com seus lustres de cristais, seus tapetes de viludos, almofadas de sitim. E quando estou na favela tenho a impressão que sou um objeto fora de uso, digno de estar num quarto de despejo.

20 de maio O dia vinha surgindo quando eu deixei o leito. A Vera despertou e cantou. E convidou-me para cantar. Cantamos. O João e o José Carlos tomaram parte.

Amanheceu garoando. O Sol está elevando-se. Mas o seu calor não dissipa o frio. Eu fico pensando: tem epoca que é Sol que predomina. Tem epoca que é a chuva. Tem epoca que é o vento. Agora é a vez do frio. E entre eles não deve haver rivalidades. Cada um por sua vez.

Abri a janela e vi as mulheres que passam rapidas com seus agasalhos descorados e gastos pelo tempo. Daqui a uns tempos estes palitol que elas ganharam de outras e que de há muito devia estar num museu, vão ser substituidos por outros. É os politicos que há de nos dar. Devo incluir-me, porque eu tambem sou favelada. Sou rebotalho. Estou no quarto de despejo, e o que está no quarto de despejo ou queima-se ou joga-se no lixo.

... As mulheres que eu vejo passar vão nas igrejas buscar pães para os filhos. Que o Frei Luiz lhes dá, enquanto os esposos permanecem debaixo das cobertas. Uns porque não encontram emprego. Outros porque estão doentes. Outros porque embriagam-se.

... Eu não preocupo-me com os homens delas. Se fazem bailes eu não compareço porque não gosto de dançar. Só interfiro-me nas brigas onde prevejo um crime. Não sei a origem desta antipatia por mim. Com os homens e as mulheres eu tenho um olhar duro e frio. O meu sorriso, as minhas palavras ternas e suaves, eu reservo para as crianças.

... Tem um adolescente por nome Julião que as vezes expanca o pai. Quando bate no pai é com tanto sadismo e prazer. Acha que é invencivel. Bate como se estivesse batendo num tambor. O pai queria que ele estudasse para advocacia (...) Quando o Julião vai preso o pai lhe acompanha com os olhos rasos dagua. Como se estivesse acompanhando um santo no andor. O Julião é revoltado, mas sem motivo. Eles não precisa residir na favela. Tem casa no Alto de Vila Maria.

... As vezes mudam algumas familias para a favela, com crianças. No inicio são iducadas, amaveis. Dias depois usam o calão, são soezes e repugnantes. São diamantes que transformam em chumbo. Transformam-se em objetos que estavam na sala de visita e foram para o quarto de despejo.

... Para mim o mundo em vez de evoluir está retornando a primitividade. Quem não conhece a fome há de dizer: "Quem escreve isto é louco". Mas quem passa fome há de dizer:

— Muito bem, Carolina. Os generos alimenticios deve ser ao alcance de todos.

Como é horrivel ver um filho comer e perguntar: "Tem mais? Esta palavra "tem mais" fica oscilando dentro do cerebro de uma mãe que olha as panela e não tem mais.

... Quando um politico diz nos seus discursos que está ao lado do povo, que visa incluir-se na politica para melhorar as nossas condições de vida pedindo o nosso voto prometendo congelar os preços, já está ciente que abordando este grave problema ele vence nas urnas. Depois divorcia-se do povo. Olha o povo com os olhos semi-cerrados. Com um orgulho que fere a nossa sensibilidade.

... Quando cheguei do palacio que é a cidade os meus filhos vieram dizer-me que havia encontrado macarrão no lixo. E a comida era pouca, eu fiz um pouco do macarrão com feijão. E o meu filho João José disse-me:

— Pois é. A senhora disse-me que não ia mais comer as coisas do lixo.

Foi a primeira vez que vi a minha palavra falhar. Eu disse:

— É que eu tinha fé no Kubstchek.

— A senhora tinha fé e agora não tem mais?

— Não, meu filho. A democracia está perdendo os seus adeptos. No nosso paiz tudo está enfraquecendo. O dinheiro é fraco. A democracia é fraca e os politicos fraquissimos. E tudo que está fraco, morre um dia.

... Os politicos sabem que eu sou poetisa. E que o poeta enfrenta a morte quando vê o seu povo oprimido.

21 de maio Passei uma noite horrivel. Sonhei que eu residia numa casa residivel, tinha banheiro, cozinha, copa e até quarto de criada. Eu ia festejar o aniversario de minha filha Vera Eunice. Eu ia comprar-lhe umas panelinhas que há muito ela vive pedindo. Porque eu estava em condições de comprar. Sentei na mesa para comer. A toalha era alva ao lirio. Eu comia bife, pão com manteiga, batata frita e salada. Quando fui pegar outro bife despertei. Que realidade amarga! Eu não residia na cidade. Estava na favela. Na lama, as margens do Tietê. E com 9 cruzeiros apenas. Não tenho açucar porque ontem eu saí e os meninos comeram o pouco que eu tinha.

... Quem deve dirigir é quem tem capacidade. Quem tem dó e amisade ao povo. Quem governa o nosso país é quem tem dinheiro, quem não sabe o que é fome, a dor, e a aflição do pobre. Se a maioria revoltar-se, o que pode fazer a minoria? Eu estou ao lado do pobre, que é o braço. Braço desnutrido. Precisamos livrar o paiz dos politicos açambarcadores.

Eu ontem comi aquele macarrão do lixo com receio de morrer, porque em 1953 eu vendia ferro lá no Zinho. Havia um pretinho bonitinho. Ele ia vender ferro lá no Zinho. Ele era jovem e dizia que quem deve catar papel são os velhos. Um dia eu ia vender ferro quando parei na Avenida Bom Jardim. No Lixão, como é denominado o local. Os lixeiros haviam jogado carne no lixo. E ele escolhia uns pedaços: Disse-me:

— Leva, Carolina. Dá para comer.

Deu-me uns pedaços. Para não maguá-lo aceitei. Procurei convencê-lo a não comer aquela carne. Para comer os pães duros ruidos pelos ratos. Ele disse-me que não. Que há dois dias não comia. Acendeu o fogo e assou a carne. A fome era tanta que ele não poude deixar assar a carne. Esquentou-a e comeu. Para não presenciar aquele quadro, saí pensando: faz de conta que eu não presenciei esta cena. Isto não pode ser real num paiz fertil igual ao meu. Revoltei contra o tal Serviço Social que diz ter sido criado para reajustar os desajustados, mas não toma conhecimento da existencia infausta dos marginais. Vendi os ferros no Zinho e voltei para o quintal de São Paulo, a favela.

No outro dia encontraram o pretinho morto. Os dedos do seu pé abriram. O espaço era de vinte centimetros. Ele aumentou-se como se fosse de borracha. Os dedos do pé parecia leque. Não trazia documentos. Foi sepultado como um Zé qualquer. Ninguem procurou saber seu nome. Marginal não tem nome.

... De quatro em quatro anos muda-se os politicos e não soluciona a fome, que tem a sua matriz nas favelas e as sucursaes nos lares dos operarios.

... Quando eu fui buscar agua vi uma infeliz caida perto da torneira porque ontem dormiu sem jantar. É que ela está desnutrida. Os medicos que nós temos na politica sabem disto.

... Agora eu vou na casa da Dona Julita trabalhar para ela. Fui catando papel. O senhor Samuel pesou. Recebi 12 cruzeiros. Subi a Avenida Tiradentes catando papel. Cheguei na rua Frei Antonio Santana de Galvão 17, trabalhar para a Dona Julita. Ela disse-me para eu não iludir com os homens que eu posso arranjar outro filho e que os homens não contribui para criar o filho. Sorri e pensei: em relação aos homens, eu tenho experiencias amargas. Já estou na maturidade, quadra que o senso já criou raizes.

... Achei um cará no lixo, uma batata-doce e uma batata solsa[13]. Cheguei na favela os meus meninos estavam roendo um pedaço de pão duro. Pensei: para comer estes pães era preciso que eles tivessem dentes eletricos.

Não tinha gordura. Puis a carne no fogo com uns tomates que eu catei lá na Fabrica Peixe. Puis o cará e a batata. E agua. Assim que ferveu eu puis o macarrão que os meninos cataram no lixo. Os favelados aos poucos estão convencendo-se que para viver precisam imitar os corvos. Eu não vejo eficiencia no Serviço Social em relação ao favelado. Amanhã não vou ter pão. Vou cozinhar a batata-doce.

22 de maio Eu hoje estou triste. Estou nervosa. Não sei se choro ou saio correndo sem parar até cair inconciente. É que hoje amanheceu chovendo. E eu não saí para arranjar dinheiro. Passei o dia escrevendo. Sobrou macarrão, eu vou esquentar para os meninos. Cosinhei as batatas, eles comeram. Tem uns metais e um pouco de ferro que eu vou vender no Seu Manuel. Quando o João chegou da escola eu mandei ele vender os ferros. Recebeu 13 cruzeiros. Comprou um copo de agua mineral, 2 cruzeiros. Zanguei com ele. Onde já se viu favelado com estas finezas?

... Os meninos come muito pão. Eles gostam de pão mole. Mas quando não tem eles comem pão duro.

Duro é o pão que nós comemos. Dura é a cama que dormimos. Dura é a vida do favelado.

Oh! São Paulo rainha que ostenta vaidosa a tua coroa de ouro que são os arranha-céus. Que veste viludo e seda e calça meias de algodão que é a favela.

... O dinheiro não deu para comprar carne, eu fiz macarrão com cenoura. Não tinha gordura, ficou horrivel. A Vera é a unica que reclama e pede mais. E pede:

---

13 *O correto é salsa, o mesmo que salgada.* (N.E.)

— Mamãe, vende eu para a Dona Julita, porque lá tem comida gostosa.

Eu sei que existe brasileiros aqui dentro de São Paulo que sofre mais do que eu. Em junho de 1957 eu fiquei doente e percorri as sedes do Serviço Social. Devido eu carregar muito ferro fiquei com dor nos rins. Para não ver os meus filhos passar fome fui pedir auxilio ao propalado Serviço Social. Foi lá que eu vi as lagrimas deslisar dos olhos dos pobres. Como é pungente ver os dramas que ali se desenrola. A ironia com que são tratados os pobres. A unica coisa que eles querem saber são os nomes e os endereços dos pobres.

Fui no Palacio, o Palacio mandou-me para a sede na Av. Brigadeiro Luís Antonio. Avenida Brigadeiro me enviou para o Serviço Social da Santa Casa. Falei com a Dona Maria Aparecida que ouviu-me e respondeu-me tantas coisas e não disse nada. Resolvi ir no Palacio e entrei na fila. Falei com o senhor Alcides. Um homem que não é niponico, mas é amarelo como manteiga deteriorada. Falei com o senhor Alcides:

— Eu vim aqui pedir um auxilio porque estou doente. O senhor mandou me ir na Avenida Brigadeiro Luis Antonio, eu fui. Avenida Brigadeiro mandou-me ir na Santa Casa. E eu gastei o unico dinheiro que eu tinha com as conduções.

— Prende ela!

Não me deixaram sair. E um soldado pois a baioneta no meu peito. Olhei o soldado nos olhos e percebi que ele estava com dó de mim. Disse-lhe:

— Eu sou pobre, porisso é que vim aqui.

Surgiu o Dr. Osvaldo de Barros, o falso filantropico de São Paulo que está fantasiado de São Vicente de Paula. E disse:

— Chama um carro de preso!

23 de maio Levantei de manhã triste porque estava chovendo. (...) O barraco está numa desordem horrivel. É que eu não tenho sabão para lavar as louças. Digo louça por hábito. Mas é as latas. Se tivesse sabão eu ia lavar as roupas. Eu não sou desmazelada.

Se ando suja é devido a reviravolta da vida de um favelado. Cheguei a conclusão que quem não tem de ir pro céu, não adianta olhar para cima. É igual a nós que não gostamos da favela, mas somos obrigados a residir na favela.

... Fiz a comida. Achei bonito a gordura frigindo na panela. Que espetaculo deslumbrante! As crianças sorrindo vendo a comida ferver nas panelas. Ainda mais quando é arroz e feijão, é um dia de festa para eles.

Antigamente era a macarronada o prato mais caro. Agora é o arroz e feijão que suplanta a macarronada. São os novos ricos. Passou para o lado dos fidalgos. Até vocês, feijão e arroz, nos abandona! Vocês que eram os amigos dos marginais, dos favelados, dos indigentes. Vejam só. Até o feijão nos esqueceu. Não está ao alcance dos infelizes que estão no quarto de despejo. Quem não nos despresou foi o fubá. Mas as crianças não gostam de fubá.

Quando puis a comida o João sorriu. Comeram e não aludiram a cor negra do feijão. Porque negra é a nossa vida. Negro é tudo que nos rodeia.

... Nas ruas e casas comerciais já se vê as faixas indicando os nomes dos futuros deputados. Alguns nomes já são conhecidos. São reincidentes que já foram preteridos nas urnas. Mas o povo não está interessado nas eleições, que é o cavalo de Troia que aparece de quatro em quatro anos.

... O céu é belo, digno de contemplar porque as nuvens vagueiam e formam paisagens deslumbrantes. As brisas suaves perpassam conduzindo os perfumes das flores. E o astro rei sempre pontual para despontar-se e recluir-se. As aves percorrem o espaço demonstrando contentamento. A noite surge as estrelas cintilantes para adornar o céu azul. Há varias coisas belas no mundo que não é possivel descrever-se. Só uma coisa nos entristece: os preços, quando vamos fazer compras. Ofusca todas as belezas que existe.

A Theresa irmã da Meyri bebeu soda. E sem motivo. Disse que encontrou um bilhete de uma mulher no bolso do seu amado. Perdeu muito sangue. Os medicos diz que se ela sarar ficará imprestavel. Tem dois filhos, um de 4 anos e outro de 9 meses.

26 de maio Amanheceu chovendo. E eu tenho só 4 cruzeiros, e um pouco de comida que sobrou de ontem e uns ossos. Fui buscar agua para por os ossos ferver. Ainda tem um pouco de macarrão, eu faço uma sopa para os meninos. Vi uma visinha lavando feijão. Fiquei com inveja. (...) Faz duas semanas que eu não lavo roupas por não ter sabão. Vendi umas taboas por 40 cruzeiros. A mulher disse-me que paga hoje. Se ela pagar eu compro sabão.

... Ha dias que não vinha policia aqui na favela, e hoje veio, porque o Julião deu no pai. Deu-lhe uma cacetada com tanta violencia, que o velho chorou e foi chamar a policia.

27 de maio ... Percebi que no Frigorifico jogam creolina no lixo, para o favelado não catar a carne para comer. Não tomei café, ia andando meio tonta. A tontura da fome é pior do que a do alcool. A tontura do alcool nos impele a cantar. Mas a da fome nos faz tremer. Percebi que é horrivel ter só ar dentro do estomago.

Comecei sentir a boca amarga. Pensei: já não basta as amarguras da vida? Parece que quando eu nasci o destino marcou-me para passar fome. Catei um saco de papel. Quando eu penetrei na rua Paulino Guimarães, uma senhora me deu uns jornais. Eram limpos, eu deixei e fui para o deposito. Ia catando tudo que encontrava. Ferro, lata, carvão, tudo serve para o favelado. O Leon pegou o papel, recibi seis cruzeiros. Pensei guardar o dinheiro para comprar feijão. Mas, vi que não podia porque o meu estomago reclamava e torturava-me.

... Resolvi tomar uma media e comprar um pão. Que efeito surpreendente faz a comida no nosso organismo! Eu que antes de comer via o céu, as arvores, as aves tudo amarelo, depois que comi, tudo normalizou-se aos meus olhos.

... A comida no estomago é como o combustivel nas maquinas. Passei a trabalhar mais depressa. O meu corpo deixou de pesar. Comecei andar mais depressa. Eu tinha impressão que eu deslisava no espaço. Comecei sorrir como se estivesse presenciando um lindo espetaculo. E haverá espetaculo mais lindo do que ter o que comer? Parece que eu estava comendo pela primeira vez na minha vida.

... Chegou a Radio Patrulha, que veio trazer dois negrinhos que estavam vagando na Estação da Luz. 4 e 6 anos. É facil perceber que eles são da favela. São os mais maltrapilhos da cidade. O que vão encontrando pelas ruas vão comendo. Cascas de banana, casca de melancia e até casca de abacaxi, que é tão rustica, eles trituram. (...) Estavam com os bolsos cheios de moedas de aluminio, o novo dinheiro em circulação.

28 de maio Amanheceu chovendo. Tenho só treis cruzeiros porque emprestei 5 para Leila ir buscar a filha no hospital. Estou desorientada, sem saber o que iniciar. Quero escrever, quero trabalhar, quero lavar roupa. Estou com frio. E não tenho sapato para calçar. Os sapatos dos meninos estão furados.

... E o pior na favela é o que as crianças presenciam. Todas crianças da favela sabem como é o corpo de uma mulher. Porque quando os casais que se embriagam brigam, a mulher, para não apanhar sai nua para a rua. Quando começa as brigas os favelados deixam seus afazeres para presenciar os bate-fundos. De modo que quando a mulher sai correndo nua é um verdadeiro espetaculo para o Zé Povinho. Depois começam os comentarios entre as crianças:

— A Fernanda saiu nua quando o Armim estava lhe batendo.

— Eu não vi. Ah! Que pena!

— E que jeito é a mulher nua?

E o outro para citar-lhe aproxima-lhe a boca do ouvido. E ecoa-se as gargalhadas estrepitosas. Tudo que é obseno pornografico o favelado aprende com rapidez.

... Tem barracões de meretrizes que praticam suas cenas amorosas na presença das crianças.

... Os visinhos ricos de alvenaria dizem que nós somos protegidos pelos politicos. É engano. Os politicos só aparece aqui no quarto de despejo, nas epocas eleitorais. Este ano já tivemos a visita do candidato a deputado Dr. Paulo de Campos Moura, que nos deu feijão e otimos cobertores. Que chegou numa epoca oportuna, antes do frio.

... O que eu quero esclarecer sobre as pessoas que residem na favela é o seguinte: quem tira proveito aqui são os nortistas. Que trabalham e não dissipam. Compram casa ou retornam-se ao Norte.

... Aqui na favela há os que fazem barracões para residir e os que fazem para alugar. E os alugueis são 500 a 700,00. E os que fazem barracões para vender. Gasta 4 mil cruzeiros e vendem por 11 mil cruzeiros. Quem fez muitos barracões para vender foi o Tiburcio.

29 de maio Até que enfim parou de chover. As nuvens deslisa-se para o poente. Apenas o frio nos fustiga. E varias pessoas da favela não tem agasalhos. Quando uns tem sapatos, não tem palitol. E eu fico condoida vendo as crianças pisar na lama. (...) Percebi que chegaram novas pessoas para a favela. Estão maltrapilhas e as faces desnutridas. Improvisaram um barracão. Condoí-me de ver tantas agruras reservadas aos proletarios. Fitei a nova companheira de infortunio. Ela olhava a favela, suas lamas e suas crianças pauperrimas. Foi o olhar mais triste que eu já presenciei. Talvez ela não mais tem ilusão. Entregou sua vida aos cuidados da vida.

... Há de existir alguem que lendo o que eu escrevo dirá... isto é mentira! Mas, as miserias são reais.

... O que eu revolto é contra a ganancia dos homens que espremem uns aos outros como se espremesse uma laranja.

30 de maio ... Troquei a Vera e saimos. Ia pensando: será que Deus vai ter pena de mim? Será que eu arranjo dinheiro hoje? Será que Deus sabe que existe as favelas e que os favelados passam fome?

... O José Carlos chegou com uma sacola de biscoitos que catou no lixo. Quando eu vejo eles comendo as coisas do lixo penso: E se tiver veneno? E que as crianças não suporta a fome. Os biscoitos estavam gostosos. Eu comi pensando naquele proverbio: quem entra na dança deve dançar. E como eu tambem tenho fome, devo comer.

Chegaram novas pessoas para a favela. Estão esfarrapadas, andar curvado e os olhos fitos no solo como se pensasse na sua desdita por residir num lugar sem atração. Um lugar que não se pode plantar uma flor para aspirar o seu perfume, para ouvir o zumbido das abelhas ou o colibri acariciando-a com seu frágil biquinho. O unico perfume que exala na favela é a lama podre, os excrementos e a pinga.

... Hoje ninguem vai dormir porque os favelados que não trabalham já estão começando a fazer batucada. Lata, frigideira, panelas, tudo serve para acompanhar o cantar desafinado dos notivagos.

31 de maio Sabado — o dia que quase fico louca porque preciso arranjar o que comer para sabado e o domingo. (...) Fiz o café, e os pães que eu ganhei ontem. Puis feijão no fogo. Quando eu lavava o feijão pensava: eu hoje estou parecendo gente bem — vou cozinhar feijão. Parece até um sonho!

... Ganhei bananas e mandiocas na quitanda da rua Guaporé. Quando eu voltava para a favela, na Avenida Cruzeiro do Sul 728 uma senhora pediu-me para eu ir jogar um cachorro morto dentro do Tietê que ela dava-me 5 cruzeiros. Deixei a Vera com a mulher e fui. O cachorro estava dentro de um saco. A mulher ficou observando os meus passos à paulistana. Quer dizer andar depressa. Quando voltei ela deu-me 6 cruzeiros. Quando recebi os 6 cruzeiros pensei: já dá para comprar um sabão.

... Cheguei na favela: eu não acho geito de dizer cheguei em casa. Casa é casa. Barracão é barracão. O barraco tanto no interior como no exterior estava sujo. E aquela desordem aborreceu-me. Fitei o quintal, o lixo podre exalava mau cheiro. Só aos domingos que eu tenho tempo de limpar.

Eu havia comprado um ovo e 15 cruzeiros de banha no Seu Eduardo. E fritei o ovo para ver se parava as nauseas. Parou. Percebi que era fraquesa. O medico mandou-me comer oleo mas eu não posso comprar. (...) Fui fazendo o jantar. Arroz, feijão, pimentão e choriço e mandioca frita. Quando a Vera viu tanta coisa disse: hoje é festa de negro!

... Perguntei a uma senhora que vi pela primeira vez:

— A senhora está morando aqui?

— Estou. Mas faz de conta que não estou, porque eu tenho muito nojo daqui. Isto aqui é lugar para os porcos. Mas se puzessem os porcos aqui, haviam de protestar e fazer greve. Eu sempre ouvi falar na favela, mas não pensava que era um lugar tão asqueroso assim. Só mesmo Deus para ter dó de nós.

1 de junho É o inicio do mês. É o ano que deslisa. E a gente vendo os amigos morrer e outros nascer. (...) É treis e meia da manhã. Não posso durmir. Chegou o tal Vitor, o homem mais feio da favela. O representante do bicho papão. Tão feio, e tem duas mulheres. Ambas vivem juntas no mesmo barraco. Quando ele veio residir na favela veio demonstrando valentia. Dizia:

— Eu fui vacinado com o sangue do Lampeão[14]!

Dia 1 de janeiro de 1958 ele disse-me que ia quebrar-me a cara. Mas eu lhe ensinei que *a* é *a* e *b* é *b*. Ele é de ferro e eu sou de aço. Não tenho força fisica, mas as minhas palavras ferem mais do que espada. E as feridas são incicatrisaveis. Ele deixou de aborrecer-me porque eu chamei a radio patrulha para ele, e ele ficou 4 horas detido. Quando ele saiu andou dizendo que ia matar-me. Então o Adalberto disse-lhe:

— É o pior negocio que você vai fazer. Porque se você não matá-la ela é quem te mata. Eu tenho uma habilidade que não vou relatar aqui, porque isto há de defender-me. Quem vive na favela deve procurar isolar-se, viver só. O Vitor está tocando radio. Penso: hoje é domingo e nós podiamos dormir até as 8. Mas aqui não há consideração mutua.

Eu nada tenho que dizer da minha saudosa mãe. Ela era muito boa. Queria que eu estudasse para professora. Foi as contigen-

---

14 *Referência ao famoso cangaceiro que, com seu bando, dominou várias cidades nordestinas, saqueando o comércio e atacando fazendas no início do século XX. (N.E.)*

cias da vida que lhe impossibilitou concretizar o seu sonho. Mas ela formou o meu carater, ensinando-me a gostar dos humildes e dos fracos. É porisso que eu tenho dó dos favelados. Se bem que aqui tem pessoas dignas de despreso, pessoas de espirito perverso. Esta noite a Dona Amelia e o seu companheiro brigaram. Ela disse-lhe que ele está com ela por causa do dinheiro que ela lhe dá. Só se ouvia a voz de Dona Amelia que demonstrava prazer na polemica. Ela teve varios filhos. Distribuio todos. Tem dois filhos moços que ela não os quer em casa. Pretere os filhos e prefere os homens.

O homem entra pela porta. O filho é raiz do coração.

É quatro horas. Eu já fiz o almoço — hoje foi almoço. Tinha arroz, feijão e repolho e linguiça. Quando eu faço quatro pratos penso que sou alguem. Quando vejo meus filhos comendo arroz e feijão, o alimento que não está ao alcance do favelado, fico sorrindo atoa. Como se eu estivesse assistindo um espetaculo deslumbrante. Lavei as roupas e o barracão. Agora vou ler e escrever. Vejo os jovens jogando bola. E eles correm pelo campo demonstrando energia. Penso: se eles tomassem leite puro e comessem carne...

2 de junho Amanheceu fazendo frio. Acendi o fogo e mandei o João ir comprar pão e café. O pão, o Chico do Mercadinho cortou um pedaço.

Eu chinguei o Chico de ordinario, cachorro, eu queria ser um raio para cortar-lhe em mil pedaços. O pão não deu e os meninos não levaram lanche.

... De manhã eu estou sempre nervosa. Com medo de não arranjar dinheiro para comprar o que comer. Mas hoje é segunda-feira e tem muito papel na rua. (...) O senhor Manuel apareceu dizendo que quer casar-se comigo. Mas eu não quero porque já estou na maturidade. E depois, um homem não há de gostar de uma mulher que não pode passar sem ler. E que levanta para escrever. E que deita com lapis e papel debaixo do travesseiro. Por isso é que eu prefiro viver só para o meu ideal. Ele deu-me 50 cruzeiros e eu paguei a costureira. Um vestido que fez para a Vera. A Dona Alice veiu queixar-se que o senhor Alexandre estava lhe insultando por causa de 65 cruzeiros. Pensei: ah! o dinheiro! Que faz morte, que faz odio criar raiz.

3 de junho ... Quando eu estava no ponto do bonde a Vera começou a chorar. Queria pasteis. Eu estava só com 10 cruzeiros, 2 para pagar o bonde e 8 para comprar carne moida. A Dona Geralda deu-me 4 cruzeiros para eu comprar os pasteis, ela comia e cantava. E eu pensava: o meu dilema é sempre a comida! Tomei o bonde. A Vera começou a chorar porque não queria ir em pé e não tinha lugar para sentar.

... Quando eu estou com pouco dinheiro procuro não pensar nos filhos que vão pedir pão, pão, café. Desvio meu pensamento para o céu. Penso: será que lá em cima tem habitantes? Será que eles são melhores do que nós? Será que o predominio de lá suplanta o nosso? Será que as nações de lá é variada igual aqui na terra? Ou é uma nação unica? Será que lá existe favela? E se lá existe favela será que quando eu morrer eu vou morar na favela?

... Quando eu comecei escrever ouvi vozes alteradas. Faz tanto tempo que não há briga na favela. (...) Era a Odete e o seu esposo que estão separados. Brigavam porque ele trouxe outra mulher no carro que ele trabalha. Elas estavam na casa do Seu Francisco irmão do Alcino. Sairam para a rua. Eu fui ver a briga. Agrediram a mulher que estava com o Alcino. Quatro mulheres e um menino avançaram na mulher com tanta violencia e lhe jogaram no solo. A Marli saiu. Disse que ia buscar uma pedra para jogar na cabeça da mulher. Eu puis a mulher no carro e o Alcino e mandei eles ir-se embora. Pensei em ir chamar a Policia. Mas até a Policia chegar elas matavam a mulher. O Alcino deu uns tapas na sogra, que é a pior agitadora. Se eu não entro para auxiliar o Alcino ele ia levar desvantagem. As mulheres da favela são horriveis numa briga. O que podem resolver com palavras elas transformam em conflito. Parecem corvos, numa disputa.

... A Odete revoltou-se comigo por ter defendido o Alcino. Eu disse:

— Você tem quatro filhos para criar.

— Eu não me importo. Eu queria era matá-la.

Quando eu empurrava a mulher para dentro do carro, ela disse-me:

— Só a senhora é que é boa.

Eu tinha a impressão que estava retirando um pedaço de osso da boca dos cachorros. E a Odete vendo o seu esposo sair com a outra no carro, ficou furiosa. Vieram chingar-me de entrometida. Eu penso que a violência não resolve nada. (...) Assembleia de favelados é com paus, facas, pedradas e violências.

... A favela é o quarto das surpresas. Esta é a quinta mulher que o Alcino traz aqui na favela. E a sua esposa quando vê, briga.

... A favela hoje está quente. Durante o dia a Leila e o seu companheiro Arnaldo brigaram. O Arnaldo é preto. Quando veio para a favela era menino. Mas que menino! Era bom, iducado, meigo, obidiente. Era o orgulho do pai e de quem lhe conhecia.

— Este vai ser um negro, sim senhor!

É que na Africa os negros são classificados assim:

— Negro *tú*.

— Negro *turututú*.

— É negro sim senhor!

Negro *tú* é o negro mais ou menos. Negro *turututú* é o que não vale nada. E o negro *Sim Senhor* é o da alta sociedade. Mas o Arnaldo transformou-se em negro *turututú* depois que cresceu. Ficou estupido, pornografico, obceno e alcoolatra. Não sei como é que uma pessoa pode desfazer-se assim. Ele é compadre da Dona Domingas.

Mas que compadre!

Dona Domingas é uma preta boa igual ao pão. Calma e util. Quando a Leila ficou sem casa foi morar com a Dona Domingas.

... A Dona Domingas era quem lavava a roupa da Leila, que lhe obrigou a dormir no chão e lhe dar o leito. Passou a ser a dona da casa. Eu dizia:

— Reage, Domingas!

— Ela é feiticeira, pode botar um feitiço em mim.
— Mas o feitiço não existe.
— Existe sim. Eu vi ela fazê.

É porque a Leila andava dizendo que consertava vidas. E eu vi varias senhoras ricas aparecer por aqui. Havia a tal Dona Guiomar, Edviges Gonçalves, a mulher que tem varios nomes e varias residencias porque compra a prestação e não paga e dá o nome trocado onde compra. Quando sai na rua parece a Maria Antonieta. E a Dona Guiomar concorreu para escravisar a Dona Domingas. (...) A Dona Domingas recebe uma pensão do seu extinto esposo. E era obrigada a dar dinheiro para a Leila que é companheira do Arnaldo. Ele sendo compadre da Domingas, era para defender a comadre. Mas ele explorava. Dividia o dinheiro entre os dois. E ainda praticava suas cenas amorosas perto do afilhado.

... A Dona Domingas saiu de casa. Foi para Carapicuiba, morar com Dona Iracema. Ficou o seu filho Nilton. Eu fiz tudo para retirar o menino. Mas a Leila lhe dizia:

— Eu sou feiticeira. Se você for embora eu faço você virar um elefante.

Eu encontrava o Nilton:

— Bom dia, Nilton. Você não quer ir com a tua mãe?

— Eu não vou porque a Leila disse-me que ela é feiticeira e se eu for embora ela vai fazer eu virar um elefante e o elefante é um bicho muito muito feio. Sabe, Dona Carolina, e se ela fazer eu virar um porco? Eu tenho que comer lavagem e alguem há de querer me por num chiqueiro para eu engordar. Vão me capar. E se ela fazer eu virar um cavalo, alguem há de me por para puchar uma carroça e ainda me dá chicotada.

... Quando o Nilton começou passar fome, foi com a mãe. Pensei: A fome também serve de juiz.

Um dia eu discutia com a Leila. Ela e o Arnaldo puzeram fogo no meu barracão. Os vizinhos apagaram.

5 de junho ... Mas eu já observei os nossos politicos. Para observá-los fui na Assembleia. A sucursal do Purgatorio, porque a matriz é a sede do Serviço Social, no palacio do Governo. Foi lá que eu vi ranger de dentes. Vi os pobres sair chorando. E as lagrimas dos pobres comove os poetas. Não comove os poetas de salão. Mas os poetas do lixo, os idealistas das favelas, um expectador que assiste e observa as trajedias que os politicos representam em relação ao povo.

6 de junho ... O José Carlos faz dias que não para em casa. Quando chega para dormir é dez e meia da noite. Hoje de manhã ele apanhou. Avisei-lhe que se chegar as 10 da noite não abro a porta. (...) Comprei um pão as 2 horas. É 5 horas, fui partir um pedaço já está duro (...) O pão atual fez uma dupla com o coração dos politicos. Duro, diante do clamor publico.

... Hoje brigaram aqui na favela. Brigaram por causa de um cachorro. A briga foi com uns baianos[15] que só falavam em peixeiras.

7 de junho Os meninos tomaram café e foram a aula. Eles estão alegres porque hoje teve café. Só quem passa fome é que dá valor a comida.

Eu e a Vera fomos catar papel. Passei no Frigorifico para pegar linguiça. Contei 9 mulheres na fila. Eu tenho a mania de observar tudo, contar tudo, marcar os fatos.

Encontrei muito papel nas ruas. Ganhei 20 cruzeiros. Fui no bar tomar uma media. Uma para mim e outra para a Vera. Gastei 11 cruzeiros. Fiquei catando papel até as 11 e meia. Ganhei 50 cruzeiros.

... Quando eu era menina o meu sonho era ser homem para defender o Brasil porque eu lia a Historia do Brasil e ficava sabendo

---

15 *O termo* baianos *refere-se aqui aos nordestinos em geral. Com esse mesmo sentido a autora usa também a palavra* nortista. *(N.E.)*

que existia guerra. Só lia os nomes masculinos como defensor da patria. Então eu dizia para a minha mãe:

— Porque a senhora não faz eu virar homem?

Ela dizia:

— Se você passar por debaixo do arco-iris você vira homem.

Quando o arco-iris surgia eu ia correndo na sua direção. Mas o arco-iris estava sempre distanciando. Igual os politicos distante do povo. Eu cançava e sentava. Depois começava a chorar. Mas o povo não deve cançar. Não deve chorar. Deve lutar para melhorar o Brasil para os nossos filhos não sofrer o que estamos sofrendo. Eu voltava e dizia para a mamãe:

— O arco-iris foge de mim.

... Nós somos pobres, viemos para as margens do rio. As margens do rio são os lugares do lixo e dos marginais. Gente da favela é considerado marginais. Não mais se vê os corvos voando as margens do rio, perto dos lixos. Os homens desempregados substituiram os corvos.

Quando eu fui catar papel encontrei um preto. Estava rasgado e sujo que dava pena. Nos seus trajes rotos ele podia representar-se como diretor do sindicato dos miseraveis. O seu olhar era um olhar angustiado como se olhasse o mundo com despreso. Indigno para um ser humano. Estava comendo uns doces que a fabrica havia jogado na lama. Ele limpava o barro e comia os doces. Não estava embriagado, mas vacilava no andar. Cambaleava. Estava tonto de fome!

... Encontrei com ele outra vez, perto do deposito e disse-lhe:

— O senhor espera que eu vou vender este papel e dou-te cinco cruzeiros para o senhor tomar uma media. É bom beber um cafezinho de manhã.

— Eu não quero. A senhora cata estes papeis com tantas dificuldades para manter os teus filhos e deve receber uma migalha e ainda quer dividir comigo. Este serviço que a senhora faz é serviço de cavalo. Eu já sei o que vou fazer da minha vida. Daqui uns dias eu não vou precisar de mais nada deste mundo. Eu não pude viver nas fazendas. Os fazendeiros me explorava muito. Eu não posso trabalhar na cidade porque aqui tudo é a dinheiro e eu não encontro emprego porque já sou idoso. Eu sei que eu vou morrer porque a fome é a pior das enfermidades.

... O homem parou de falar bruscamente. Eu segui com o meu saco de papel nas costas.

... Tem pessoas que aos sabados vão dançar. Eu não danço. Acho bobagem ficar rodando pra aqui, pra ali. Eu já rodo tanto para arranjar dinheiro para comer.

Procurei a Vera, não encontrei. Gritei, não apareceu. Fui na Purtuguesa de Desportos. Já está iniciando os festejos juninos. Ela não estava lá. Fui no ponto de bonde treis vezes. Eu já estava pensando ir no Juizado de Menores, ia gastar o dinheiro reservado para o pão. Quando cheguei na favela para pegar os documentos, para eu ir na cidade, a Vera estava procurando-me. Disse-me que estava procurando balões. E que estava cançada de correr.

8 de junho ... Hoje eu fiz almoço. Quando tem carne... eu fico mais animada. Mas, quando é polenta eu já sei que vou ter complicações com as crianças. Feijão, arroz e pasteis. Já faz tempo que os meninos estão pedindo pasteis. O João está sorrindo atoa. O pasteis é um acontecimento aqui em casa.

Quando eu digo casa, penso que estou ofendendo as casas de tijolos. Hoje os favelados estão apreciando os briguentos. São dois irmãos. O Vicente e o João Coque. Lá em frente ao mercadinho estão brigando dois baianos, e são irmãos. Nem parece que geraram no mesmo ventre.

... Os visinhos de alvenaria olha os favelados com repugnancia. Percebo seus olhares de odio porque eles não quer a favela aqui. Que a favela deturpou o bairro. Que tem nojo da pobresa. Esquecem eles que na morte todos ficam pobres.

O que eu sei é que a praga dos favelados pega. Quando nós mudamos para a favela, nós iamos pedir agua nos visinhos de alvenaria. Quem nos dava agua era a Dona Ida Cardoso. Treis vezes ela nos deu agua. Ela nos disse que nos dava agua só nos dias uteis. Aos domingos ela queria dormir até mais tarde. Mas o favelado não é burro. Mas foi vacinado com sangue de burro. Um dia foram buscar agua e não encontraram a torneira do jardim, onde os favelados pegava agua. Formou-se uma fila na porta da Dona Ida. E todas chamavam:

— Eu queria agua para fazer a mamadeira. Meu Deus, como é que nós vamos fazer sem agua?

Nois iamos noutras casas, batiamos na porta. Ninguem respondia. Não aparecia ninguem para nos atender, para não ouvir isto:

— A senhora pode nos dar um pouco dagua?

Eu carregava agua da rua Guaporé. Do deposito de papel. Outros trazia agua do Serviço, nos garrafões.

Uma tarde de terça-feira. A sogra de Dona Ida estava sentada e disse:

— Podia dar uma enchente e arrazar a favela e matar estes pobres cacetes. Tem hora que eu revolto contra Deus por ter posto gente pobre no mundo, que só serve para amolar os outros.

A Tina da Dona Mulata, quando soube que a sogra da Dona Ida pedia a Deus para enviar uma enchente para matar os pobres favelados, disse:

— Quem há de morrer afogado há de ser ela!

Na enchente de 49 morreu o Pedro Cardoso, filho de Dona Ida. Quando eu soube que o Pedrinho havia morrido afogado pensei na decepção que teve a sua avó que pedia agua, agua, bastante agua para matar os favelados e veio agua e matou-lhe o neto. É para ela compreender que Deus é sobrio. É o advogado dos humildes. Os pobres são criaturas de Deus. E o dinheiro é um metal criado e valorisado pelo homem. (...) Se Deus avisasse a Dona Ida que ela por não nos dar agua ia perder o seu filho para sempre, creio que ela estaria nos dando agua até hoje. O Pedro pagou em holocausto o orgulho de sua avó. E a maldade de sua mãe. É assim que Deus repreende.

9 de junho ... Eu saí. Quando eu estava catando papel em frente a Bela Vista eu tive um aviso que eu ia ter aborrecimento. Fiquei triste. Quando eu passava na rua Pedro Vicente um senhor deu uma bichiga de borracha para a Vera. Ela ficou contente e disse que ele ia para o céu.

... Quando nasceu a Vera eu fiquei sosinha aqui na favela. Não apareceu uma mulher para lavar minhas roupas, olhar os meus filhos. Os meus filhos dormiam sujos. Eu fiquei na cama pensando nos filhos, com medo deles ir brincar nas margens do rio. Depois do parto a mulher não tem forças para erguer um braço. Depois do parto eu fiquei numa posição incomoda. Até quando Deus deu-me forças para ajeitar-me.

... Eu já estava deitada quando ouvi as vozes das crianças anunciando que estavam passando cinema na rua. Não acreditei no que ouvia. Resolvi ir ver. Era a Secretaria da Saude. Veio passar um filme para os favelados ver como é que o caramujo transmite a doença anêmica[16]. Para não usar as aguas do rio. Que as larvas desenvolve-se nas aguas. (...) Até a agua... que em vez de nos auxiliar, nos contamina. Nem o ar que respiramos, não é puro, porque jogam lixo aqui na favela.

Mandaram os favelados fazer mictorios.

11 de junho ... Já faz seis meses que eu não pago a agua. 25 cruzeiros por mês. E por falar na agua, o que eu não gosto e tenho pavor é de ir buscar agua. Quando as mulheres aglomeram na torneira, enquanto esperam a sua vez para encher a lata vai falando de tudo e de todos. Se uma mulher está engordando, elas dizem que está gravida. Se está emagrecendo elas dizem que está tuberculosa. Temos aqui a Dona Binidita que está com 82 anos. Começou engordar...

— É filho! A Dona Benidita está gravida.

— Não diga! Naquela idade?

— Isto é o fim do mundo!

— De quantos meses?

Seis, sete, a data que vinha na mente. E quando alguem ia levar roupinhas para a Dona Binidita ela chingava e rogava praga. Dizia:

---

16 *Referência à esquistossomose, doença parasitária que provoca diarreias e aumento do fígado e do baço.* (N.E.)

— Eu sou mãe da que já saiu da circulação. Como é que eu posso ter filho? Eu já estou aposentada.

Quando eu ouvia os rumores pensava: quem teve filhos nesta idade foi só Santa Isabel, mãe de São João Batista.

Todos os dias há uma novidade aqui na favela. Quando inaugurou a Purtuguesa de Desportos os purtugueses que reside aqui por perto foram. E a Dona Isaltina esqueceu umas roupas no quintal. No outro dia não encontrou as roupas. A Dona Sebastiana disse para a Dona Isaltina que a ladra era a Leila. A Dona Isaltina foi chamar a Radio Patrulha. E ela interrogava a Leila com tanta energia que acabou descobrindo as roupas no fosso de excrementos. Pegaram um pau e retiraram as roupas. E a policia obrigou a Leila lavar. Um carro da Prefeitura que vinha trazer agua jogava agua e a Leila lavava. Ela dizia.

— Não fui eu quem tirou as roupas. Eu sou vagabunda, mas não sou ladra.

O povo da favela sempre achava tempo para presenciar estes espetaculos. (...) O juiz pegou uma jovem debil mental. Disseram que ela havia fugido com um japonês. Hoje ela apareceu e disse ser mentira.

Eu fui na Dona Julita. Ela deu-me café, sabão e pão. Na Avenida do Estado 1140 ganhei muito papel. Recebi 98 cruzeiros. Deu para comprar oleo, carne e açucar. Ganhei umas bananas, fiz doce. O José Carlos está mais calmo depois que botou os vermes, 21 vermes.

12 de junho Eu deixei o leito as 3 da manhã porque quando a gente perde o sono começa pensar nas miserias que nos rodeia. (...) Deixei o leito para escrever. Enquanto escrevo vou pensando que resido num castelo cor de ouro que reluz na luz do sol. Que as janelas são de prata e as luzes de brilhantes. Que a minha vista circula no jardim e eu contemplo as flores de todas as qualidades. (...) É preciso criar este ambiente de fantasia, para esquecer que estou na favela.

Fiz o café e fui carregar agua. Olhei o céu, a estrela Dalva já estava no céu. Como é horrivel pisar na lama.

As horas que sou feliz é quando estou residindo nos castelos imaginarios.

... O tal Valdemar hoje agrediu o senhor Alexandre com uma enxada. As mulheres interviram. Eu fico admirada do senhor Alexandre temer o Valdemar. Porque as mulheres resulutas da favela expancam o Valdemar com vassouras e chinelos. Mas, quando alguem lhe teme, ele prevalece.

13 de junho ... Vesti as crianças e eles foram para a escola. Eu fui catar papel. No Frigorifico vi uma mocinha comendo salchichas do lixo.

— Você pode arranjar um emprego e levar uma vida reajustada.

Ela perguntou-me se catar papel ganha dinheiro. Afirmei que sim. Ela disse-me que quer um serviço para andar bem bonita. Ela está com 15 anos. Epoca que achamos o mundo maravilhoso. Epoca em que a rosa desabrocha. Depois vai caindo petala por petala e surgem os espinhos. Uns cançam da vida, suicidam. Outros passam a roubar. (...) Olhei o rosto da mocinha. Está com boqueira.

... Os preços aumentam igual as ondas do mar. Cada qual mais forte. Quem luta com as ondas? Só os tubarões. Mas o tubarão mais feroz é o racional. É o terrestre. É o atacadista.

A lentilha está a 100 cruzeiros o quilo. Um fato que alegrou-me imensamente. Eu dancei, cantei e pulei. E agradeci o rei dos juizes que é Deus. Foi em janeiro quando as aguas invadiu os armazens e estragou os alimentos. Bem feito. Em vez de vender barato, guarda esperando alta de preços: Vi os homens jogar sacos de arroz dentro do rio. Bacalhau, queijo, doces. Fiquei com inveja dos peixes que não trabalham e passam bem.

Hoje eu estou lendo. E li o crime do Deputado de Recife, Nei Maranhão[17]. (...) li o jornal para as mulheres da favela ouvir. Elas

---

17 *Referência ao incidente ocorrido no cais da Santa Rita (PE), envolvendo o deputado Ney Maranhão, que, durante uma discussão, acabou matando um homem. (N.E.)*

ficaram revoltadas e começaram chingar o assassino. E lhe rogar praga. Eu já observei que as pragas dos favelados pegam.

... Os bons eu enalteço, os maus eu critico. Devo reservar as palavras suaves para os operarios, para os mendigos, que são escravos da miseria.

14 de junho ... Está chovendo. Eu não posso ir catar papel. O dia que chove eu sou mendiga. Já ando mesmo trapuda e suja. Já uso o uniforme dos indigentes. E hoje é sabado. Os favelados são considerados mendigos. Vou aproveitar a deixa. A Vera não vai sair comigo porque está chovendo. (...) Ageitei um guarda-chuva velho que achei no lixo e saí. Fui no Frigorifico, ganhei uns ossos. Já serve. Faço uma sopa. Já que a barriga não fica vazia, tentei viver com ar. Comecei desmaiar. Então eu resolvi trabalhar porque eu não quero desistir da vida.

Quero ver como é que eu vou morrer. Ninguem deve alimentar a ideia de suicidio. Mas hoje em dia os que vivem até chegar a hora da morte, é um heroi. Porque quem não é forte desanima.

... Vi uma senhora reclamar que ganhou só ossos no Frigorifico e que os ossos estavam limpos.

— E eu gosto tanto de carne.

Fiquei nervosa ouvindo a mulher lamentar-se porque é duro a gente vir ao mundo e não poder nem comer. Pelo que observo, Deus é o rei dos sabios. Ele pois os homens e os animais no mundo. Mas os animais quem lhes alimenta é a Natureza porque se os animais fossem alimentados igual aos homens, havia de sofrer muito. Eu penso isto, porque quando eu não tenho nada para comer, invejo os animais.

... Enquanto eu esperava na fila para ganhar bolachas ia ouvindo as mulheres lamentar-se. Outra mulher reclamava que passou numa casa e pediu uma esmola. A dona da casa mandou esperar (...) A mulher continuou dizendo que a dona da casa surgiu com um embrulho e deu-lhe. Ela não quiz abrir o embrulho perto das colegas, com receio que elas pedissem. Começou pensar. Será um pedaço de queijo? Será carne? Quando ela chegou em casa, a primeira coisa que fez, foi desfazer o embrulho porque a curiosidade é amiga das mulheres. Quando desfez o embrulho viu que eram ratos mortos.

Tem pessoas que zombam dos que pedem.

Na fabrica de bolacha o homem disse que não ia dar mais bolacha. Mas as mulheres continuaram quietas. E a fila estava aumentando. Quando chegava alguem para comprar, ele explicava:

— O senhor desculpe o aspecto hediondo que este povo dá na porta da fabrica. Mas por infelicidade minha todos os sabados é este inferno.

Eu ficava impaciente porque queria ouvir o que o dono da fabrica dizia. E queria ouvir o que as mulheres dizia. Que dilema triste para quem presencia. As pobres querendo ganhar. E o rico não queria dar. Ele dá só os pedaços de bolacha. E elas saem contentes como se fossem a Rainha Elisabethe da Inglaterra quando recebeu os treze milhões em joias que o presidente Kubstchek lhe enviou como presente de aniversario.

O dono da fabrica vendo que elas não iam embora, mandou dar. A empregada nos dava e dizia:

— Quem ganhar deve ir-se embora.

Eles alegam que não estão em condições de dar esmola porque a farinha de trigo subiu muito. Mas os mendigos já estão habituados a ganhar as bolachas todos os sabados.

Não ganhei bolacha e fui na feira, catar verduras. Encontrei com a dona Maria do José Bento e começamos a falar sobre o custo de vida.

15 de junho ... Fui comprar carne, pão e sabão. Parei na banca de jornaes. Li que uma senhora e três filho havia suicidado por encontrar dificuldade de viver. (...) A mulher que suicidou-se não tinha alma de favelado, que quando tem fome recorre ao lixo, cata verduras nas feiras, pedem esmola e assim vão vivendo. (...) Pobre mulher! Quem sabe se de há muito ela vem pensando em eliminar-se, porque as mães tem muito dó dos filhos. Mas é uma vergonha para uma nação. Uma pessoa matar-se porque passa fome. E a pior coisa para uma mãe é ouvir esta sinfonia:

— Mamãe eu quero pão! Mamãe, eu estou com fome!

Penso: será que ela procurou a Legião Brasileira ou Serviço Social? Ela devia ir nos palacios falar com os manda chuva.

... A noticia do jornal deixou-me nervosa. Passei o dia chingando os politicos, porque eu tambem quando não tenho nada para dar aos meus filhos fico quase louca.

... Aqui na favela tem um quadro de *foot-bol* — O Rubro Negro. As camisas são pretas e vermelhas. O fundador é o Almir Castilho. O quadro não é conhecido pelo publico, mas já é conhecido pela policia. A dois anos atrás, o quadro foi jogar na Penha e brigaram com o quadro adversario e a briga transformou-se em conflito. Com a intervenção da policia os briguentos renderam-se. E havia um morto e varios feridos. Não houve prisões. Mas abriram inquerito. Cada um teve que pagar dois mil cruzeiros ao advogado.

... Hoje teve uma briga. Na rua A residem 10 baianos num barracão de 3 por dois e meio. Cinco são irmãos. E as outras cinco são irmãs. São robustos, mal incarados. Homens que havia de ter valor para o Lampeão. Os dez são pernambucanos. E brigaram os dez com um paraibano. (...) Quando os pernambucanos avançaram no paraibano as mulheres abraçaram o paraibano e levaram para dentro do barracão e fecharam a porta. Os pernambucanos ficaram falando que matavam e repicavam o paraibano. Queriam invadir o barracão. Estavam furiosos igual os cães quando alguem lhes retira a cadela.

... Ela teve seis filhos: 3 do Manolo, e três de outros. Ela teve um menino que podia estar com 4 anos. Mas um dia eles embriagaram, e brigaram e lutaram dentro de casa. A luta foi tremenda. O barraco oscilava. E as panelas caiam fazendo ruidoso. Na confusão, o menino caiu no assoalho e pisaram-lhe em cima. Passado uns dias perceberam que o menino estava todo quebrado. Levaram para o Hospital das Clinicas. Engessaram o menino. Mas os ossos não ligaram. O menino morreu.

Agora ela está com duas meninas. Uma de dois anos, e outra recem-nascida. O seu companheiro atual bebe e brigam. E as vezes rolam no assoalho. Quando eu vejo estas cenas fico pensando no menino que morreu.

... Tinha um soldado que aparecia por aqui. Ele procurava agradar-me. E eu, fugia dele. Caí na asneira de dizer para a Leila que achava o soldado muito bonito, mas não queria nada com ele porque ele bebe pinga. E um dia ele veio falar comigo, cheirando a pinga. Uma noite apareceu e perguntou-me:

— Então, Dona Carolina, a senhora anda dizendo que eu bebo pinga?

Recordei imediatamente da Leila, porque eu tinha dito só para ela. Respondi:

— Eu acho o senhor bonito, mas tenho medo do senhor beber pinga.

... Percebi que o soldado não apreciou minhas observações.

— O senhor sabe que o soldado alemão não pode beber?

O soldado olhou-me e disse:

— Graças a Deus, sou brasileiro!

16 de junho ... O José Carlos está melhor. Dei-lhe uma lavagem de alho e uma chá de ortelã. Eu zombei do remedio da mulher, mas fui obrigada a dar-lhe porque atualmente a gente se arranja como pode. Devido ao custo de vida, temos que voltar ao primitivismo. Lavar nas tinas, cosinhar com lenha.

... Eu escrevia peças e apresentava aos diretores de circos. Eles respondia-me:

— É pena você ser preta.

Esquecendo eles que eu adoro a minha pele negra, e o meu cabelo rustico. Eu até acho o cabelo de negro mais iducado do que o cabelo de branco. Porque o cabelo de preto onde põe, fica. É obediente. E o cabelo de branco, é só dar um movimento na cabeça ele já sai do lugar. É indisciplinado. Se é que existe reincarnações, eu quero voltar sempre preta.

... Um dia, um branco disse-me:

— Se os pretos tivessem chegado ao mundo depois dos brancos, aí os brancos podiam protestar com razão. Mas, nem o branco nem o preto conhece a sua origem.

O branco é que diz que é superior. Mas que superioridade apresenta o branco? Se o negro bebe pinga, o branco bebe. A enfermidade que atinge o preto, atinge o branco. Se o branco sente fome, o negro tambem. A natureza não seleciona ninguem.

17 de junho Passei a noite assim: eu despertava e escrevia. Depois eu adormecia novamente. As 5 da manhã a Vera começou vomitar. Eu dei-lhe um calmante, ela dormiu. Quando a chuva passou eu aproveitei para sair. Catei um saco de papel. (...) Eu recebi só 12 cruzeiros. Catei uns tomates e um pouco de alho e vim para casa correndo porque a Vera está doente. Cheguei ela estava dormindo. Com os meus ruidos ela despertou-se. Disse estar com fome. Fui comprar leite e fiz um mingau para ela. Ela tomou e vomitou um verme. Depois levantou-se e andou um pouco e deitou-se outra vez.

... Eu fui no Seu Manuel vender uns ferros para arranjar dinheiro. Estou nervosa com medo da Vera piorar, porque o dinheiro que eu tenho não dá para pagar medico. (...) Hoje eu estou rezando e pedindo a Deus para a Vera melhorar.

18 de junho Hoje amanheceu chovendo. A Vera, ontem pois dois vermes pela boca. Está com febre. Hoje não vai ter aulas, em homenagem ao Principe do Japão[18].

---

18 *Trata-se do príncipe Mikasa, irmão mais novo do então imperador Hirohito, que visitou o país por ocasião dos 50 anos da imigração japonesa no Brasil. (N.E.)*

19 de junho ... A Vera ainda está doente. Ela disse-me que foi a lavagem de alho que eu dei-lhe que lhe fez mal. Mas aqui na favela varias crianças está atacadas com vermes.

O José Carlos não quer ir na escola porque está fazendo frio e ele não tem sapato. Mas hoje é dia de exame, ele foi. Eu fiquei com medo, porque o frio está congelando. Mas o que hei de fazer?

Eu saí e fui catar papel. Fui na Dona Julita, ela estava na feira. Passei na sapataria para pegar o papel. O saco estava pesado. Eu devia carregar o papel em duas viagem. Mas carreguei de uma vez porque queria chegar em casa, porque a Vera estava doente e sosinha.

20 de junho ... Dei leite para a Vera. O que eu sei é que o leite está sendo despesas extras e está prejudicando a minha minguada bolsa. Deitei a Vera e saí. Eu estava tão nervosa! Acho que se eu estivesse num campo de batalha, não ia sobrar ninguem com vida. Eu pensava nas roupas por lavar. Na Vera. E se a doença fosse piorar? Eu não posso contar com o pai dela. Ele não conhece a Vera. E nem a Vera conhece ele.

Tudo na minha vida é fantastico. Pai não conhece filho, filho não conhece pai.

... Não tinha papeis nas ruas. E eu queria comprar um par de sapatos para a Vera. (...) Segui catando papel. Ganhei 41 cruzeiros. Fiquei pensando na Vera, que ia bradar e chorar, porque ela quando não tem o que calçar fica lamentando que não gosta de ser pobre. Penso: se a miseria revolta até as crianças...

21 de junho ... Vesti o José Carlos para ir na escola. Quando eu estava na rua, comecei ficar nervosa. Todos os dias é a mesma luta. Andar igual um judeu errante atraz de dinheiro, e o dinheiro que se ganha não dá pra nada. Passei no Frigorifico, ganhei uns ossos. Quando eu saí a Vera recomendou-me para trazer os sapatos. Deixei o João brincando com ela, porque hoje não tem aula para o segundo ano. Percorri varias ruas e não havia papel. Quando ganhei 30 cruzeiros, pensei: já dá para pagar os sapatos da Vera. Mas era sabado e precisava arranjar dinheiro para o domingo. E Vera já estava idealizando o cardapio de domingo. Na Avenida Tiradentes eu ganhei uma folhas de flandres e fui vender no deposito do Senhor Salvador Zanutti, na rua Voluntarios da Patria. Eu estava de mal com ele. Mas ele não me fez mal nenhum. Até emprestou-me dinheiro quando eu fiquei doente. Quando eu fiquei doente eu andava até querendo suicidar por falta de recursos.

... O senhor Salvador perguntou-me porque foi que eu sumi de lá. Eu fiquei envergonhada com a sua acolhida tão gentil (...) Ele deu-me 31 cruzeiros. Fiquei alegre. Saí correndo. Ia comprar os sapatos para a Vera. Lembrei que havia deixado a sacola no deposito. Mas o transito estava impedido. Consegui atravessar para pegar a sacola. Ele disse-me:

— Você saiu correndo e esqueceu a sacola.

Catei mais um pouco de papel e recebi 10 cruzeiros. Fiquei com 71 cruzeiros. Dei 30 para os sapatos, fiquei com 41. E não ia dar para comprar café, pão, açucar e arroz e gordura. Pensei nos ossos. Eu ia fazer uma sopa. Tem um pouco de arroz, um pouco de macarrão. Eu misturo tudo e faço uma sopa. E a Vera se quizer comer come, se não quizer que se aperte. A epoca atual não é de ter preferencia e nem nojo. Cheguei em casa para ver a Vera. Ela estava brincando. Pensei: Ela já está melhor.

Ela estava coçando-se e com a pele toda irritada. Acho que foi o chá de alho que lhe dei. Jurei nunca mais dar-lhe remedios indicados por lavadeiras de hospitais. Mostrei-lhe os sapatos, ela ficou alegre. Ela sorriu e disse-me: que está contente comigo e não vai comprar uma mãe branca. Que não sou mentirosa. Que falei que ia comprar os sapatos, e comprei. Que eu tenho palavra.

... Eu estava tão cançada. Eu queria sair para arranjar mais dinheiro. Mas a canceira dominou-me. Ouvi as crianças gritar que estão dando cartões. Corri como flexa. A canceira sumiu. Encontrei o João que já vinha com um cartão acenando na mão. Todos estavam sorrindo como se tivesse ganhado um premio. Li o cartão. Era para ir buscar *um premio e uma surpresa para seu filho na rua Javaés 771.*

22 de junho Deixei o leito as 5 horas, preparando as crianças para ir na festa na rua Javaés (...) Dei comida para a Vera. O João não quiz a minha comida. Disse:

— Eu vou comer lá na festa. A comida de lá deve ser melhor do que a da senhora.

Ele não gosta de festa. Mas se ele sabe que vai ter comida é o primeiro a insistir e faz questão de levar a sacola. (...) Passei na Dona Julita para dizer-lhe que nós iamos numa festa. Pensei: deve ser banquete porque São Luiz Rei de França quando convidava o povo para comer preparava um banquete. Tomei o bonde. O dinheiro não dava. Cheguei lá as 2 horas. A fila estava enorme. Podia ter umas 3 mil pessoas. Quando eles vieram nos convidar os favelados ficaram contentes. Os que não ganhou cartão ficou chorando e dizendo que não tinha sorte. Percebi que povo da favela gosta de ganhar esmolas. Puzeram umas tabuas na calçada e forraram com jornaes e puzeram os pães em cima. Ouvi uma mulher dizer:

— Não é ruim ser pobre.

Todos usava roupas humildes. Alguns calçados outros descalços. Apareceu um preto alto e gordo como se fosse decendente de elefante. Falava para todos ouvir.

— Eu não sou deputado. Sou simplesmente amigo do povo humilde.

Comecei a escrever o que observava daquela agromeração. O senhor Zuza viu-me escrevendo. Porque eu sou alta e estava toda de vermelho. Fui falar-lhe. Perguntei-lhe:

— Quem é o senhor?

— Ô gente! Eu sou o Zuza! A senhora nunca ouviu falar no Zuza? Pois o Zuza sou eu!

— Com que finalidade o senhor faz esta festa?

— Faço esta festa para o povo.

— Eu vou por o senhor no jornal.

— Você pode me por onde você quizer...

Não simpatizei com o tal Zuza. Falta qualquer coisa naquele homem, para ele ser um homem completo. Ele notando a impaciencia do povo, dizia:

— Espera! Vocês estão mortos de fome?

Vi mulher gravida desmaiar. O Zuza deu uns pães para as mulheres, e mandou elas erguer os pães para o ar, para ser fotografadas. Os carros e os onibus da CMTC[19] encontrava dificuldades para percorrer a rua devido as crianças que atravessavam a rua de um lado para outro. A qualquer instante eu esperava um atropelamento. Alguns reclamava:

— Se eu soubesse que era só pão, eu não vinha.

O senhor Zuza mandou dois violeiros tocar e apareceu um palhaço. Que festa sem graça.

Era domingo e o povo ficou expantado quando viu os indigentes superlotar o onibus Bom Retiro. Tivemos sorte. Fomos com um cobrador que aceitava a quantia que nós davamos. Uns dava 1 cruzeiro, outros dava só um passe. Tinha uma mulher com crianças que vieram de Santos e ganhou só um pão e um saquinho de bala e uma regua escolar que estava escrito *Lembrança do Deputado Paulo Teixeira de Camargo.*

Tinha mulher que gastou vinte cruzeiros nas conduções. E não ganharam nada. Onde estava a fila estava frio por estar na sombra. Eu saí da fila e passei para o outro lado. Devido eu ter bajulado inconcientemente o senhor Zuza, ele deu-me varios pães. Contei até seis. Depois parei e pedi a Deus para ele não dar-me mais pães. Ouvi varias mulheres lhe rogando praga. Tivemos sorte ao voltar. Era o mesmo condutor. Eu estava com cinco crianças, e eu, seis. Porisso eu fui obrigada a suplicar ao condutor que deixasse nós voltar por três cruzeiros. Era o unico dinheiro que eu tinha. A Vera ficou com os pés inchados de tanto andar. Quando eu cheguei na favela vi as mulheres rogando praga no Zuza. As mulheres que estavam com crianças não ganharam pão, porque não ia entrar no meio do povo que dizia:

— Vamos pegar alguns pães para não perder a viagem.

Encontrei o senhor Alexandre brigando com o Vicente por causa de um metro que emprestou-lhe.

Era 6 horas quando apareceu um carro. Era um senhor que havia casado e veio nos dar os sanduiches que sobrou. Eu ganhei al-

---

19 *Companhia Municipal de Transportes Coletivos.* (N.E.)

guns. Depois os favelados invadiram o carro. Os moços foram embora e disse que iam jogar os sanduiches no lixo que gente de favela são estupidos e quadrupedes que estão precisando de ferraduras.

23 de junho ... Passei no açougue para comprar meio quilo de carne para bife. Os preços era 24 e 28. Fiquei nervosa com a diferença dos preços. O açougueiro explicou-me que o filé é mais caro. Pensei na desventura da vaca, a escrava do homem. Que passa a existencia no mato, se alimenta com vegetais, gosta de sal mas o homem não dá porque custa caro. Depois de morta é dividida. Tabelada e selecionada. E morre quando o homem quer. Em vida dá dinheiro ao homem. E morta enriquece o homem. Enfim, o mundo é como o branco quer. Eu não sou branca, não tenho nada com estas desorganizações.

... Quando cheguei na favela os meninos estavam brincando. Perguntei-lhes se alguem havia brigado com eles. Responderam-me que só a baiana. Uma vizinha que tem 3 filhos. E que a Leila brigou com o Arnaldo e queria jogar a sua filha recem-nascida dentro do rio Tietê. E foram brigando até a rua do Porto. E a Leila jogou a criança no chão. A criança tem dois meses. (...) As mulheres queriam ir chamar a policia para levar a menina no Juizado. Eu estava cançada, deitei. Não tive coragem nem de trocar roupa.

24 de junho Quando eu cheguei na favela encontrei com a Vera que estava na rua. Ela já sabe contar tudo que presencia. Disse-me que a policia tinha vindo avisar que a mãe do Paredão tinha morrido.

Ela era muito boa. Só que bebia muito.

... Eu estava fazendo o almoço quando a Vera veio dizer-me que havia briga na favela. Fui ver. Era a Maria Mathias que estava dando seu espetaculo histerico. Espetaculo da idade critica. Só as mulheres e os medicos é quem vai entender o que eu disse.

... Os favelados todos os anos fazem fogueiras. Mas em vez de arranjar lenha rouba uns aos outros. Entram nos quintaes e carregam as madeiras de outros favelados. (...) Eu tinha um caibro, eles levaram para queimar. Não sei porque é que os favelados são tão nocivos. Alem deles não ter qualidades ainda surgem os maus elementos que mesclam-se com eles. Quem vem perturbar é o Chico, o Bom-Bril e o Valdemar. O Valdemar levanta de manhã e vem para a favela.

Porque este homem não vai trabalhar? Ele não gosta de mim. (...) Eu gostava imensamente da mãe dele. Mas a Dona Aparecida disse-me que foi nós os favelados quem deturpamos o seu filho. Mas os homens da favela alguns vão trabalhar. Os outros quando não trabalham ficam na favela. Ninguem chama o Valdemar aqui. É que ele já nasceu com o espirito inferior. (...) Se a gente pudesse escrever sempre elogiando! Se eu escrever que o Valdemar é bom elemento quando alguem lhe conhecer não vai comprovar o que eu escrevi.

... Eu sentei ao redor da fogueira. O Joaquim e sua esposa Pitita brigaram. Pobre Joaquim. Demonstrou tolerancia para não desfazer o lar.

25 de junho Fiz o café e vesti eles para ir na escola. Puis feijão no fogo. Vesti a Vera e saimos. O João estava brincando. Quando me viu correu. E o José Carlos assustou-se quando ouviu a minha voz. Vi uma pirua do Governo do Estado. Serviço de Saude que vinha recolher as fezes. O jornal disse que há 160 casos positivos aqui na favela. Será que eles vão dar remedios? A maioria dos favelados não há de poder comprar. Eu não fiz o exame. Fui catar papel. (...) Ganhei só 25 cruzeiros. É que agora tem um homem que cata na minha zona. Mas eu não brigo porisso. Porque daqui uns dias ele desiste. O homem já está dizendo que o que ele ganha não dá nem para a pinga. Que é melhor pedir esmola.

... Passei na fábrica (...) e catei uns tomates. O gerente quando vê repreende. Mas quem é pobre deve fingir que não ouve. Quando cheguei na favela fiz uma salada para os meninos.

Ouvi as crianças dizendo que estavam brigando. Fui ver. Era a Nair e a Meiry. A Nair é branca. A Meiry é preta. Já faz tempo que a Meiry anda prometendo que vai bater na Nair. A Meiry é temida porque anda com gilete. E ela foi bater na Nair e apanhou. A Nair rasgou-lhe as roupas, deixando-lhe nua.

Que gargalhada sonora! Que espetaculo apreciadissimo para o favelado que aprecia profundamente tudo que é pornografico! As crianças sorri e batem palmas como se estivessem aplaudindo. Depois as crianças se dividem em grupos e ficam comentando:

— Eu vi.

— Eu não vi.

— Eu queria ver.

Atualmente as crianças não mais emocionam quando vê uma mulher nua. Já estão habituadas. As crianças acham que nas mulheres os corpos são iguais. A diferença é a cor. Os meus filhos vem perguntar-me porque é que o corpo da mulher tem isto ou aquilo. Eu finjo que não compreendo estas perguntas incomodas. Eles dizem:

— A mamãe é boba. Ela não compreende nada.

26 de junho ... Ouvi uns buatos que os fiscaes vieram requerer que os favelados desocupem o terreno do Estado onde eles fizeram barracões sem ordem. Varias pessoas que tinham barracões aqui na favela transferiram para o terreno do Estado, porque lá quando chove não há lama. Eles disseram que vão construir um parque infantil. O que eu acho esquisito é que o terreno tinha alvenaria. E foi desapropriado. E agora o Zé Povinho está construindo barraco.

27 de junho Hoje a Leila está embriagada. E eu fico pensando como é que uma mulher que tem duas filhas em idade tenra pode embriagar-se até ficar inconciente. Dois homens vieram trazê-la nos braços. E se ela rolar na cama e esmagar a recem nascida?

... O que eu acho interessante é quando alguem entra num bar ou emporio logo aparece um que oferece pinga. Porque não oferece um quilo de arroz, feijão, doce etc.?

... Tem pessoas aqui na favela que diz que eu quero ser muita coisa porque não bebo pinga. Eu sou sozinha. Tenho três filhos. Se eu viciar no alcool os meus filhos não irá respeitar-me. Escrevendo isto estou cometendo uma tolice. Eu não tenho que dar satisfações a ninguem. Para concluir, eu não bebo porque não gosto, e acabou-se. Eu prefiro empregar o meu dinheiro em livros do que no alcool. Se você achar que eu estou agindo acertadamente, peço-te para dizer:

— Muito bem, Carolina!

28 de junho ... Hoje a noite vai ter uma corrida aqui na favela. A corrida é promovida pelo Rubro Negro. Tipo corrida São Silvestre. Compraram pinga para fazer quentão. Quentão para os adultos e batata doce para as crianças. Fizeram uma fogueira. Puzeram 4 luzes na praça. Estou aguardando a corrida para ver quem vai vencer. Para o primeiro colocado o premio é uma medalha, e uma garrafa de vinho e doce para o segundo. E para o ultimo ovos podres e uma vela. O trajeto é da favela até a igreja do Pari. O unico que está alcoolisado é o Valdemar. Há decencia na favela.

... Na favela tem muitas crianças. As crianças são sempre em maior numero. Um casal tem 8 filhos, outro tem 6 e daí por diante.

... O senhor Alfredo fez um baile. Está tocando vitrola. Dança só os nortistas porque os paulistas aborreceram de ouvir e dançar *Pisa na fulô*. Aproveitei enquanto o povo dança para pegar agua. Arrumei a cozinha e fui para a fogueira.

Quando faltava 10 para as nove iniciaram a corrida. Enquanto eu aguardava o retorno dos corredores fiquei passeando. A Dona Ida Cardoso fez fogueira. Eu disse que no centro da cidade não fazem fogueiras. Uma senhora respondeu-me que na cidade a fogueira é de outra forma. Retorna os corredores. O primeiro colocado é o Joaquim. Quando foi para premiar o terceiro colocado, o Armim, que era o juiz, encontrou dificuldades porque havia dois homens que dizia ter chegado em primeiro lugar. E as mulheres entraram como juiz. E exaltaram tanto que o Armim acabou premiando os designados pelas mulheres atrabiliarias que predominam. Serviram quentão e vinho. Eu bebi duas xicaras. Fiquei alegre. Dancei com o senhor Binidito. E com o Armim. Quando eu percebi que o alcool estava desviando o meu senso eu fui deitar. Antes de deitar dei uma surra no João, porque ele está muito malcriado.

Esqueci de citar que quando eu estava esquentando fogo as mulheres começaram a falar que haviam visto o retrato do Zuza no jornal. E estavam alegres. Percebi que o senhor Zuza com a festa que fez para o povo em vez de atrair amigos atraiu inimigos. Eis o que estava escrito no jornal do dia 26 de junho de 1958:

"ZUZA, PAI DE SANTO, EM CANA
'Zuza' está em cana desde ontem, pois ele, que se chama na realidade José Onofre, e tem uma aparencia realmente imponente, mantinha para lucros extraordinários uma tenda de Umbanda no Bom Retiro, a Tenda Pae Miguel Xangô. É também diretor de uma industria de cadeiras suspeita de irregularidades na Delegacia de Costumes. 'Zuza' (foto), foi autuado em flagrante."

Eu disse ao Zuza que ele ia sair no jornal. Eu ouvi um senhor dizendo que o Zuza era malandro. Mas foi as pragas das mães que gastaram dinheiro e não ganharam nada que pegou igual o visgo.

29 de junho ... Na igreja eu ganhei dois quilos de macarrão, balas e biscoitos. Comprei 3 sanduiches para os meninos. Quando eu retornava para a favela encontrei com o senhor Aldo. Quando cheguei na favela estavam organizando uma corrida só para mulheres. Na rua "A" tem um baile. Depois que a favela superlotou-se de nortistas tem mais intriga. Mais polemica e mais distrações. A favela ficou quente igual a pimenta. Fiquei na rua até nove horas para prestar atenção nos movimentos da favela. Para ver como é que o povo age a noite. Eu já ia retirando quando surgiu a Florenciana e o Binidito. A Florenciana, a morta de fome. Vinha reclamando que a sua filha Vilma não havia ganhado nada. E havia participado da corrida, precisava uma medalha. Quem chegou em primeiro lugar foi a Iracema. A Florenciana é preta. Mas é tão diferente dos pretos por ser muito ambiciosa. Tudo que ela faz é visando lucro. Creio que se ela fosse dona de um matadouro havia de comer os chifres e os cascos dos bois.

... Que descontentamento na corrida das mulheres. Todas queriam ser classificadas. Eu fico só olhando. Não interfiro-me porque eu não gosto de polemica. (...) A dona Rosa que aluga barracões aqui na favela é arranca couro. Veio dizer o senhor Francisco para arranjar-lhe quatro mil cruzeiros, que ela está com as prestações dos terrenos.

— E esse dinheiro que já dei não pode ser incluido na venda do barraco?

— Não. Não pode. Esse dinheiro fica para pagar o aluguel.

Foi a resposta de dona Rosa ao senhor Francisco. Pobre senhor Francisco. Ele está doente na Caixa de Aposentadoria e paga 700,00 por mês de aluguel e 100,00 de luz. Sustenta 4 pessoas.

Eu vou deitar. Creio que já é 1 da manhã. Quando eu ia deitar ouvi uns rumores que na rua A, os baianos estavam brigando. Fui ver. É que o Sergio havia feito um baile. E os nortistas havia feito outro. E estavam dançando com a porta fechada. E a mulher do Chó foi dançar no baile dos nortistas. Mas ela dançava só com os bonitinhos. E um pernambucano convidou-lhe para dançar com ele. Ela não quiz dançar. Olhou o pernambucano minuciosamente e não quiz dançar com ele. O Pernambucano quando se viu preterido enfureceu-se. Arrancou a peixeira da cinta e investiu na mulher do Chó. A única coisa que eu vejo correr com rapidez são os ratos e coelhos. E os relampagos. Mas a mulher do Chó quando viu a peixeira na sua direção suplantou o relampago. O povo arrebatou-lhe a peixeira. O pernambucano saiu correndo, fungando e bradando:

— Hoje eu mato, hoje corre sangue na favela.

Veio correndo para a Rua B e arrancou um pau da cerca do senhor Antonio Venancio e voltou para a Rua A. Chegou na casa do Chó e bradava:

— Sai pra fora! Sai pra fora, biscate vagabunda!

Deu-se uma confusão tremenda. Os nortistas falavam e eu não entendia nada. Se no Norte eles for assim, o Norte deve ser horroroso.

E naquela confusão a mulher do Chó desapareceu igual fumaça.

Outra coisa que observei hoje — noite de São Pedro. O que observei na favela e não está certo é isto: tem um soldado vulgo Taubaté. É o predileto de algumas mulheres aqui da favela. Ele passa as noites aqui. O soldado é turbulento. Que bom se o tenente retirasse este soldado da favela. Qualquer coisa para ele, é tiro. Já feriu dois da favela.

... Na rua B, na casa do extinto senhor Sebastião Gonçalves fizeram uma fogueira. Eu fiquei sem sono porque eu não posso beber alcool. E eu bebi quentão. Apareceu a R.P. 44. Eu segui os guardas. Como eu já expliquei, os nortistas falavam tanto que ninguem compreendia. (...) Os guardas foram-se. E eu saí da Rua A e fui para a Rua B. Sentei perto da fogueira. Todos falavam. A conversa não me interessava, mas eu fiquei. Falavam nas brigas. No jogo de *foot-bol* na Suissa[20]. E na pretenção do homem ir na lua. Uns dizia que o homem vai. Outros que não vai. E eu quando ouvi o vai não vai, já fiquei pensando numa briga, porque aqui na favela tudo inicia bem e termina com brigas.

Fiquei esperando a Purtuguesa de Desportos soltar os foguetes, porque se eu deitasse antes tinha que despertar com os foguetes. Uma senhora que esquentava fogo disse-me que a Angelina Preta bateu no seu filho Argemiro de oito anos e não quer que ele passe na Rua A para pegar agua.

30 de junho Fiz café e fui buscar agua. Ouvi um grito, fui ver o que era. Era a Odete brigando com o seu companheiro. Ela dizia:

— Dona Carolina, vai chamar a Policia!

Eu lhe aconselhava para ficar quieta:

— Odete, você está gravida!

Eles estavam atracados. Eu já estou na favela há 11 anos e tenho nojo de presenciar estas cenas. A Odete estava semi-nua com os seios a mostra.

---

20 *Na verdade, a Copa do Mundo de Futebol de 1958, que acabou sendo vencida pelo Brasil, realizou-se na Suécia. A Suíça sediou a Copa de 1954.* (N.E.)

Eles brigam sem saber porque é que estão brigando. As visinhas contou-me que a Odete jogou agua fervendo no rosto do seu companheiro.

... Hoje varios homens não foram trabalhar. Coisa de segundas-feiras. Parece que eles já estão cançados de trabalhar.

1 de julho ... Eu percebo que se este Diário for publicado vai maguar muita gente. Tem pessoa que quando me vê passar saem da janela ou fecham as portas. Estes gestos não me ofendem. Eu até gosto porque não preciso parar para conversar. (...) Quando passei perto da fabrica vi varios tomates. Ia pegar quando vi o gerente. Não aproximei porque ele não gosta que pega. Quando descarregam os caminhões os tomates caem no solo e quando os caminhões saem esmaga-os. Mas a humanidade é assim. Prefere vê estragar do que deixar seus semelhantes aproveitar. Quando ele afastou-se eu fui pegar uns tomates. Depois fui catar mais papeis. Encontrei o Sansão. O carteiro. Ele ainda não cortou os cabelos. Ele estava com os olhos vermelhos. Pensei: será que ele chorou? Ou está com vontade de fumar ou está com fome! Coisas tão comum aqui no Brasil. Fitei o seu uniforme descorado. O senhor Kubstchek que aprecia pompas devia dar outros uniformes para os carteiros. Ele olha-me com o meu saco de papel. Percebi que ele confia em mim. As pessoas sem apoio igual ao carteiro quando encontra alguem que condoi-se deles, reanimam o espirito.

Eu não gosto do Kubstchek. O homem que tem um nome esquisito que o povo sabe falar mas não sabe escrever.

... O baiano esposo de dona Zefa é meu vizinho e veio queixar-se que o José Carlos lhe aborrece. O que eu sei é que com tantos baianos na favela os favelados veteranos estão mudando-se. Eles querem ser superior pela força. Para ficar livre deles os favelados fazem um sacrificio e compram um terreno e zarpam-se. Eu disse-lhe:

— Teus filhos tambem aborrece-me. Abre as minhas gavetas e o que eles encontram carregam.

— Eu não sabia disso.

E nem ia saber porque eu não faço reclamações de crianças. Porque eu gosto das crianças.

... Aqui reside uma nortista que é costureira. Eu gostava muito dela. Lhe favorecia no que eu podia. Um dia o meu filho José Carlos estava brincando perto da casa dela e ela jogou-lhe agua. No outro dia veio um caminhão jogar abacaxi podre aqui na favela e eu perguntei a ela porque havia jogado agua no meu filho.

— Eu joguei fria. Mas se ele me aborrecer outra vez eu quero jogar é agua quente com soda para ele não enchergar mais e não aborrecer mais ninguem.

A minha simpatia pela dona Chiquinha arrefeceu. (...) No outro dia a dona Chiquinha veio perguntar se eu queria brigar com ela que ela ia buscar a peixeira. Não lhe dei confiança.

3 de julho Eu estava escrevendo quando ouvi o meu visinho Antonio Nascimento repreendendo o meu filho José Carlos. Ele anda dizendo que vai bater no menino. Se fosse uma reprensão justa, mas a dele é impricancia. Onde é que já se viu um homem de 48 anos desafiar uma criança de 9 anos para brigar? Mas o Antonio Nascimento nasceu com as ideias ao avesso.

... A filha da Dirce morreu. Era duas gemeas. Atualmente ela tem tido partos duplos. O ano passado morreu o casal de gemeos. O menino num dia, e a menina no outro. E agora fenece outra.

Quando morre alguem aqui na favela os malandros saem pelas ruas pidindo esmolas para sepultar os que falece. Embolsam o dinheiro e gastam na bebida.

Os favelados estão comentando o retorno dos jogadores.

4 de julho ... Quando eu passava na rua Eduardo Chaves, uma senhora chamou-me e deu-me umas panelas de aluminio, papeis e um quilo de carne assada com batatas. Creio que ela deu-me a carne por causa da Vera, que disse-lhe que gostaria de levar o seu berço para o Mercado e morar lá. Porque lá tem muitas coisas boa para comer. Que ela gosta de carne e quer casar com o açougueiro. Já percebi que minha filha é revoltada. Ela tem pavor de morar na favela.

... Um dia apareceu aqui na favela uma preta que disse chamar Vitoria. Veio com um menino por nome Cezar. A preta disse-me que era empregada de Dona Mara, que dança na Boite Oasis na Rua 7 de Abril. Para eu emprestar-lhe um caderno de poesia e ir procurá-la na Avenida São João. A preta disse-me que estava estudando musica no Conservatorio Dramatico Musical. Quem indicou o meu barraco para a preta foi a Florenciana. Ela deu-me este endereço: Avenida São João 190, 82 andar apartamento 23. O que deixou-me preocupada foi o predio ter 82 andar. Ainda não li que São Paulo tem predio tão elevado assim. Depois pensei: eu não saio do quarto de despejo, o que posso saber o que se passa na sala de visita? Com a insistencia da Florenciana, eu emprestei.

Quando fui na cidade procurar o numero 190 não encontrei. Fui na Boite Oasis procurar a Dona Mara para saber como é que eu poderia localisar sua empregada ordinaria. Informaram-me que a Dona Mara frequenta a boite e que chegava a 1 da manhã. Deixei uma carta para a Dona Mara e não obtive resposta. Mas o dia que eu encontrar esta tal Vitoria ela vai apanhar.

... Ensaboei as roupas. Depois fui acabar de lavar na lagoa. O Serviço de Saude do Estado disse que a agua da lagoa transmite as doenças caramujo. Vieram nos revelar o que ignoravamos. Mas não soluciona a deficiencia da agua.

... A Dona Alice está triste porque ela alugou o barracão da Dona Rosa. E ela quer vender o barracão. Quer 4.000,00. E o seu esposo tem o dinheiro. E a Dona Rosa não lhe cumprimenta. (...) Eu nunca vi uma pessoa tão ambiciosa assim. Ainda se fosse só a ambição, mas a inveja é a sua sombra. Quando eu ganhei a minha saia vermelha ela ficou furiosa. Dizia:

— Só eu é que não ganho nada!

Agora ela faz outro barracão e alugou o outro que ela residia. É o que está residindo o senhor Francisco.

Quando os meus filhos eram menores eu deixava eles fechado

e saía para catar papel. Um dia eu cheguei e encontrei o João chorando. Ele disse-me:

— Sabe mamãe, a Dona Rosa me jogou bosta no rosto.

Eu acendi o fogo, esquentei agua e lavei as crianças. Fiquei horrorisada com a maldade da Dona Rosa. (...) Ela sabe que aqui na favela não pode alugar barracão. Mas ela aluga. É a pior senhoria que eu já vi na vida. Porque será que o pobre não tem dó do outro pobre?

5 de julho ... O Frei Luiz hoje nos visitou com o seu carro capela. Nos disse que vai ensinar o catecismo as crianças para fazer a primeira comunhão. E aos sabados vem nos ensinar a conhecer os trechos biblicos.

6 de julho Despertei as 4 horas e meia com a tosse da Neide. Percebi que aquela tosse não ia deixar-me dormir. Levantei e dei-lhe um pouco de xarope porque fiquei com dó. Ela é orfã de pai. Quando o pai estava doente a mãe deixou-as. São treis filhas. (...) A mãe da Neide é uma desalmada. Não prestou para tratar do esposo enfermo e nem para criar as filhas que ficaram aos cuidados dos avós.

... Esquentei o arroz e os peixes e dei para os filhos. Depois fui catar lenha. Parece que eu vim ao mundo predestinada a catar. Só não cato a felicidade.

... Estendi as roupas para quarar. Ao meu lado estava a mulher do nortista que dormia com a mulher do Chó. Estava nervosa e falava tanto. Parece que tem a lingua eletrica. Parecia o Carlos Lacerda quando falava do Getulio. Dizia que era ela quem lavava as roupas da mulher do Chó. E o seu esposo é quem lhe dava dinheiro para ela lhe pagar.

... É 5 e meia. O frei Luiz está chegando para passar o cinema aqui na favela. Já puzeram a tela e os favelados estão presentes.

As pessoas de alvenaria que residem perto da favela diz que não sabe como é que as pessoas de cultura dá atenção ao povo da favela.

As crianças da favela bradaram quando iniciaram o cinema, representando trechos da Biblia. O nascimento de Cristo. Chegou o carro capela com o Frei Luiz. Um vigario que é util aos favelados. (...) Quando passava uma tela o Frei explicava. Quando passou os Reis Magos o Frei explicou que a denominação Magos é porque eles liam a sorte das pessoas nas estrelas. E se alguem sabia o nome dos Reis Magos. Que um é muito conhecido e chamava Baltazar.

— E o outro Pelé[21] — respondeu um moleque.

Todos riram. Chegou o caminhão com os jogadores na hora que o padre estava rezando. Resolvi tomar parte no coro. Os meus filhos chegaram do cinema e eu fui dar o jantar para eles. A Vera estava contente e contava as travessuras de José Carlos. O João perdeu os 11 cruzeiros que eu dei-lhe para ir no Rialto. Ele levava o dinheiro na carteira e foi com os meninos da favela. E alguns deles ja sabem bater carteira.

7 de julho ... Fui na dona Juana, ela deu-me pães. Passei na fabrica para ver se tinha tomates. Havia muitas lenhas. Eu ia pegar uns pedaços quando ouvi um preto dizer para eu não mecher nas lenhas que ele ia bater-me. Eu disse para bater que eu não tenho medo. Ele estava pondo as lenhas dentro do caminhão. Olhou-me com desprezo e disse:

— Maloqueira!

— Por eu ser de maloca é que você não deve mecher comigo. Eu estou habituada a tudo. A roubar, brigar e beber. Eu passo 15 dias em casa e quinze dias na prisão. Já fui sentenciada em Santos. Ele fez menção de agredir-me e eu disse-lhe:

— Eu sou da favela do Canindé. Sei cortar de gilete e navalha e estou aprendendo a manejar a peixeira. Um nordestino está me dando aulas. Se vai me bater pode vir.

---

21 *A brincadeira se justifica: Baltazar era o apelido do centroavante do Corinthians, e Pelé, ainda em início de carreira no Santos, já se destacava como um grande jogador.* (N.E.)

Comecei apalpar os bolsos.

— Onde será que está minha navalha? Hoje o senhor fica só com uma orelha. Quando eu bebo umas pingas fico meio louca. Na favela é assim, tudo que aparece por lá nós batemos e roubamos o dinheiro e tudo que tiver no bolso.

O preto ficou quieto. Eu vim embora. Quando alguem nos insulta é só falar que é da favela e pronto. Nos deixa em paz. Percebi que nós da favela somos temido. Eu desafiei o preto porque eu sabia que ele não ia vir. Eu não gosto de briga.

... Quando eu voltava encontrei com o Nelson da Vila Guilherme. Disse algo que eu não gostei. Fingi que não compreendia o que ele dizia.

— Mas você é tão inteligente e não compreende porque é que eu ando atrás de você?

Quando eu cheguei na favela os meus filhos não estavam. Gritei. Não apareceu ninguem. Fui no senhor Eduardo e comprei meio litro de óleo e 16,00 de linguiça. Encontrei o dinheiro que o João recebeu quando vendeu os ferros. 46 com 20, 66. Quando eu voltava fiquei olhando os homens da favela. A maioria não trabalha as segundas-feiras. (...) Fui no senhor Manuel vender os ferros que eu achei pelas ruas e ver se via os meus filhos. Quando eu ia chegando no senhor Manoel vi o João que retornava. Disse-me que catou umas latas e ganhou 4,00. Perguntei-lhe pela Vera. Disse-me que deixou em casa. E que ela estava com o José Carlos.

Quando eu retornava ouvi a voz da Vera. Ela dizia:

— José Carlos, olha a mamãe!

Veio correndo na minha direção. Disse que ela e José Carlos tinham ido pedir esmolas. Ele estava com o saco nas costas. Eu vinha na frente e dizia que ele devia era fazer lições. Eu precisava ir na cidade.

Enquanto eu vestia ouvia a voz do Durvalino que discutia com um bebado desconhecido por aqui. Começou surgir as mulheres. Elas não perdem estas funções. Passam horas e horas contemplando. Não lembram de nada, se deixou panela no fogo. A briga para elas é tão importante como as touradas de Madri para os espanhois. Vi o Durvalino agredindo o bebado e tentando enforca-lo.

O bebado não tinha forças para reagir. O Armim e outros retirou as mãos do Durvalino do pescoço do bebado e levaram ele para o outro lado do rio. E o Durvalino ficou comentando o seu feito.

... Fui trocar o meu titulo de eleitor. Quando cheguei na rua Seminario fui tirar fotografia no Foto Lara. 60,00. Enquanto eu esperava as fotografias eu conversava com as pessoas presentes. Todas agradaveis. Recebi as fotografias e fui para a fila. Conversei com uma senhora que o seu esposo é funcionario da Prefeitura. E quiz saber em quem eu ia votar. Disse-lhe que vou votar no Dr. Adhemar. (...) Deixei o tribunal e tomei o bonde. Quando desci no ponto final fui no açougue comprar carne moida. Passei na COAP[22] e comprei meio quilo de arroz. Perguntei a jornaleira se ela tem titulo de eleitor. Eu pensava nos filhos que devia estar com fome. (...) A Vera começou pedir comida. Esquentei e dei-lhe. O João jantou e o José Carlos tambem. Contou-me que o cunhado da Dona Aparecida havia chegado na assistencia. Que foi atropelado. Que estava engessado.

Quando eu vou na cidade tenho a impressão que estou no paraizo. Acho sublime ver aquelas mulheres e crianças tão bem vestidas. Tão diferentes da favela. As casas com seus vasos de flores e cores variadas. Aquelas paisagens há de encantar os olhos dos visitantes de São Paulo, que ignoram que a cidade mais afamada da America do Sul está enferma. Com as suas ulceras. As favelas.

8 de julho Eu estava indisposta, deitei cedo. Despertei com a algazarra que fazia na rua. Não dava para compreender o que diziam porque todos falavam ao mesmo tempo e era muitas vozes reunidas. Vozes de todos os tipos. Eu queria levantar para pedir-lhe que deixasse o povo durmir. Mas percebi que ia perder tempo. Eles já estavam alcoolizados. A Leila deu o seu *shou*. E os seus gritos não deixou os visinhos dormir. As quatro horas comecei escrever. Quando eu desperto custo adormecer. Fico pensando na vida atribulada e pen-

22 *Comissão de Abastecimento e Preços, órgão governamental que distribuía produtos a preços abaixo do mercado. (N.E.)*

sando nas palavras do Frei Luiz que nos diz para sermos humildes. Penso: se o Frei Luiz fosse casado e tivesse filhos e ganhasse salario minimo, ai eu queria ver se o Frei Luiz era humilde. Diz que Deus dá valor só aos que sofrem com resignação. Se o Frei visse os seus filhos comendo generos deteriorados, comidos pelos corvos e ratos, havia de revoltar-se, porque a revolta surge das agruras.

... Mandei o João comprar 10,00 de queijo. Ele encontrou-se com o Adalberto e disse-lhe para ele vir falar comigo. É que eu ganhei umas tabuas e vou fazer um quartinho para eu escrever e guardar os meus livros. Eu sai e fui catar papel. Pouco papel nas ruas, porque outro coitado tambem está catando papel. Ele vende o papel e compra pinga e bebe. Depois senta e chora em silencio. Eu estava com tanto sono que não podia andar. A Dona Anita deu me doces e ganhei só 23,00. Quando cheguei na favela o João estava lendo gibi. Esquentei a comida e dei-lhes. O barulho noturno que ouvi: as mulheres estavam comentando que os homens beberam 14 litros de pinga. E a Leila insultou um jovem e ele espancou-a. Lhe jogou no solo e deu um ponta-pé no rosto. O ato é selvagem. Mas a Leila quando bebe irrita as pessoas. Ela já apanhou até do Chiclé um preto bom que reside aqui na favela. Ele não queria espancá-la. Mas ela desclassificou-lhe demais. Ele deu-lhe tanto que até arrancou-lhe dois dentes. E por isso o apelido dele aqui na favela é *Dentista*. A Leila ficou com o rosto tão inchado que foi preciso tomar pinicilina. (...) Hoje é dia das choronas. Aqui reside uma nortista que quando bebe torra a paciencia. O filho da nortista arranjou uma namorada. Uma mulher que pode ser a sua avó. A futura esposa veio residir com a sua mãe. Quando a velha bebe fica aborrecendo e discutem. E a velha não lhes dava socego. Ele fugiu com a mulher. E a velha está chorando. Quer o retorno do filho.

... É cinco horas. José Carlos chegou. Vou troca-lo para ir na Casa Gouveia comprar um par de sapatos para ele. Na Casa Gouveia ele escolheu o sapato. 159,00. O senhor Gouveia deixou por 150,00. Ele está contente. E olha as pessoas que passam para ver se estão notando seus sapatos novos.

Quando eu cheguei na favela encontrei com o senhor Francisco. Ele emprestou-me a carrocinha e eu fui buscar as tabuas. Levei a Vera dentro da carrocinha. O José Carlos e o Ninho. Para ir foi facil. A carrocinha deslisava no asfalto como se fosse automatica. Coloquei as madeiras de varios modos. Ora ficava dianteira ora trazeira. Percebi que precisava trazer em duas vezes. O que é preciso fazer eu faço sem achar que é sacrificio. Na rua Araguaia com a rua Canindé tem muita lama e eu encontrei dificuldade porque eu estava descalça e os meus pés deslizava na lama. Não havia possibilidade de firmar os pés. Eu escorregava. Apareceu um senhor e empurrou a carrocinha para mim. Disse-me para eu ageitar as tabuas. Agradeci e segui. No ponto do bonde as tabuas escorregaram da carrocinha. E o José Carlos vendo a minha luta disse-me:

— Porque é que a senhora não casou-se? Agora a senhora tinha um homem para ajudar.

... Dei graças a Deus quando cheguei na favela. Uma senhora estava esperando-me. Disse-me que o João havia machucado a sua filha. Ela disse-me que o meu filho tentou violentar a sua filha de 2 anos e que ela ia dar parte no Juiz. Se ele fez isto quem há de interná-lo sou eu. Chorei.

... Deitei o José Carlos e saí com o João. Fui no Juizado para saber se havia possibilidade de interná-lo. Preciso retira-lo da rua porque agora tudo que aparecer de mal vão dizer que foi ele. (...) No Juizado o Dr. que estava de plantão disse para eu voltar dia 10 que o dia 9 era feriado. Saí do Juizado e fui tomar o bonde por ser mais barato. No ponto do bonde o João plantou-se na porta da pastelaria e eu sentei para descançar um pouco. Quando cheguei na favela era meia noite. Eu estava nervosa.

9 de julho Tive sonhos agitados. Eu estava tão nervosa que se eu tivesse azas eu voaria para o deserto ou para o sertão. Tem hora que eu revolto comigo por ter iludido com os homens e arranjado estes filhos.

... Quando eu estava preparando-me para sair a Dona Alice veio dizer que dois meninos do Juiz estava vagando aqui na favela. Fui ver. Estavam com roupas amarelas. Descalços e sem camisa. Só com aquele blusão em cima da pele. Eles estavam desorientados. Perguntei se queriam café. Responderam que não.

Eu entrei e fui preparar para sair para a rua. O José Carlos acompanhou os meninos. Depois veio perguntar-me se eu podia arranjar umas roupas para os meninos.

— Vá chamá-los!

Ele foi e voltou com os meninos. Um era mulato claro. Um rosto feio. Um narigão. O outro era branco bonito. Contaram-me os horrores do Juizado. Que passam fome, frio e que apanham ininterruptamente. Perguntaram se eu podia arranjar-lhes umas camisas. Dei-lhes as camisas e as calças. Perguntei-lhes os nomes. O mulato é Antonio e o branco é Nelson. Perguntei-lhes se sabiam ler. Responderam que sim. Dei-lhes café. Falaram que residem na Vila Maria e que tem mãe. Aconselharam meus filhos para ser bons para mim. Que os filhos estão melhor com as mães. Que a coisa melhor do mundo é a mãe. Eles pegaram as roupas que eu dei-lhes. A calça do Nelson tinha tantos remendos que podia pesar 3 quilos. Quando eles sairam olharam o numero do meu barracão e pediu-me para não internar o João que a comida é deficiente. Que eles era obrigado a lavar louça. Que se uma criança jogar fora o resto da comida do lixo, que eles obriga a criança catar e comer.

Os meus filhos ficaram horrorisados com a narração dos fugitivos. Decidi não internar o João porque ele tem apetite. O que eu observei é que eles queriam livrar-se das roupas amarelas.

Os meninos perguntaram o meu nome e sairam sorrindo para mim. Penso: porque será que os meninos que fogem do Juizado vem difamando a organisação? Percebi que no Juizado as crianças degrada a moral. Os Juizes não tem capacidade para formar o carater das crianças. O que é que lhes falta? Interesse pelos infelizes ou verba do Estado?

... Em 1952 eu procurava ingressar na Vera Cruz e fui no Juizado falar com o Dr. Nascimento se havia possibilidade de internar os meus filhos. Ele disse-me que se os meus filhos fossem para o Abrigo que ia sair ladrões.

Fiquei horrorisada ouvindo um Juiz dizer isto.

... Quando existia a saudosa Rua Itaboca, eu digo saudosa porque vejo tantos homens lamentando a extinção da zona do meritricio. Quando eu ia lá e via as mulheres mais nogentas e perguntava:

— Onde vocês foram criadas?

— No Abrigo de Menores.

— Vocês sabem ler?

— Não! Porque? Você é padre?

Eu parava a interrogação. Elas não sabiam ler, nem cuidar de uma casa. A unica coisa que elas conhecem minuciosamente e pode lecionar e dar diplomas é pornografia.

Pobres orfãs do Juiz!

Fui catar papel. Estava indisposta. O povo da rua percebe quando eu estou triste. Ganhei 36,00. Voltei. Não conversei com ninguem. Estou sem ação com a vida. Começo achar a minha vida insipida e longa demais. Hoje o sol não saiu. O dia está triste igual a minha alma. Deixei o João fechado estudando. Disse-lhe que o homem que erra está vacinado na opinião publica. O que eu observo é que os que vivem aqui na favela não podem esperar boa coisa deste ambiente. São os adultos que contribue para delinquir os menores. Temos os professores de escandalos: A Leila, a Meiry, a Zefa, a Pitita e a Deolinda.

... Quando eu cheguei na favela encontrei com um nortista que estava com uma peixeira procurando o meu filho. Quando me viu não disse nada. Mas eu conversei com ele.

Ouvi as mulheres do deposito dizer que o senhor João da rua do Porto faleceu e que ficou dois dias aguardando recursos para ser sepultado. Eu ia vê-lo. Mas comecei sentir indisposição e resolvi deitar um pouco. Já faz uns dois anos que eu não deito durante o dia. Penso no senhor João que já há tempos estava doente. Paralisia. Ele dizia que queria morrer porque não apreciava ser sustentado pela esposa. Que a vida sem doença já é dura de conduzir. A sua esposa dona Angelina é quem trabalhava para os dois. Ela tinha um auxilio das vicentinas, mas fizeram tanta intriga e as vicentinas deixou de auxiliá-la. Injustiça.

Eu dormi um pouco. Depois comecei escrever. A dona Alice deu-me um prato de sopa. O dia que eu mudar da favela vou acender uma vela para São Sebastião. Ouço a Deolinda brigando com seu esposo.

Eles eram amasiados e as vicentinas aconselhou-os a casar. Ele bebe muito e ela o dobro. Ela disse que o seu estomago não aceita café de manhã. Que se beber vomita. De manhã, ela bebe pinga e passa o resto do dia chupando o dedo. É nojento ver uma mulher de 50 anos chupando o dedo. Ela foi chamar a Radio Patrulha porque ambos estão com a cabeça quebrada. A sogra tambem bebe. E forma o trio mais escandaloso da rua C.

Eu guardei as roupas dos meninos do Juizado, para comprovante. Fiquei horrorisada com o cheiro de suor. E achei desmazelo.

10 de julho Deixei o leito as 5 e meia para pegar agua. Não gosto de estar entre as mulheres porque é na torneira que elas falam de todos e de tudo. Estou tão indisposta que se eu pudesse deitar um pouco! Mas eu não tenho nada para os meninos comer. O unico geito é sair. Deixei o João estudando. Ganhei só 10,00 e achei metais. Achei um arco de pua e um estudante pediu-me. Dei-lhe. Ele deu-me 3 cruzeiros para um café. (...) Passei na feira. Comprei batata doce e peixe. Quando cheguei na favela era 12 horas. Esquentei a comida para o João e fui ajeitando o barracão. Depois fui vender umas latas e ganhei 40 cruzeiros. Retornei a favela e fiz o jantar.

A Deolinda e o seu esposo que foram na Radio Patrulha ainda não voltaram. Será que ficaram presos.

Cai a tarde lentamente. Já estão chegando os crentes, com seus instrumentos musicaes para louvar Deus. Aqui na favela tem um barracão na rua B onde os crentes vem rezar treis vezes por semana. Uma parte do barracão é coberto com folha de flandres e a outra de telha. Tem dia que eles estão rezando e os vagabundos da favela jogam pedras no barracão e quebram as telhas. As que cai em cima das folhas faz barulho. Mesmo sendo insultados eles não desanimam. Aconselha os favelados para não roubar, não beber e amar ao proximo como a si mesmo. Os crentes não permite a entrada das mulheres que usa calças e nem vestidos decotados. Os favelados zombam dos conselhos.

Fui buscar uma lata de agua e uma senhora estava lamentando:

— Se eu fosse jovem eu não residia nesta favela nem um dia. Mas eu já sou velha. E velho não se governa.

Aqui nesta favela a gente vê coisa de arrepiar os cabelos. A favela é uma cidade esquisita e o prefeito daqui é o Diabo. E os pinguços que durante o dia estão oculto a noite aparecem para atentar.

Percebo que todas as pessoas que residem na favela, não aprecia o lugar.

11 de julho Deixei o leito as 5 e meia. Já estava cansada de escrever e com sono. Mas aqui na favela não se pode dormir, porque os barracões são umidos, e a Neide tosse muito, e desperta-me. Fui buscar agua e a fila já estava enorme. Que coisa horrivel é ficar na torneira. Sai briga ou alguem quer saber a vida dos outros. Ao redor da torneira amanhece cheio de bosta. E quem limpa sou eu. Porque as outras não interessam.

... Quando cheguei na favela estava indisposta e com dor nas pernas. A minha enfermidade é fisica e moral.

12 de julho ... Fui no Frigorifico, ganhei uns ossos. Estou indisposta. Comprei dois pães doce para o João e a Vera. Catei uns tomates. Encontrei um preto iducado e elegante no falar. Disse-me que reside em Jaçanã. Eu ia perguntar-lhe o nome mas fiquei com vergonha. Ele deu dois cruzeiros ao João e eu comprei querozene. Cheguei em casa, fui no senhor Manoel vender os ferros. O deposito já estava fechado. Cheguei em casa e deitei. Estava com frio e mal estar. O povo da favela já sabe que eu estou doente. Mas não aparece ninguem para prestar-me um favor. Não deixo o João sair. Ele passa o dia lendo. Ele conversa comigo e eu vou revelando as coisas inconvinientes que existe no mundo. Já que o meu filho já sabe como é o mundo, a linguagem infantil entre nós acabou-se.

O José Carlos foi na feira. Eu servi os ossos para fazer uma sopa. A Vera não quiz. O Frei Luiz está pondo a tela, para passar o cineminha. Não vou comparecer porque estou doente. O João pediu-me para irmos. Disse-lhe que enquanto nós residirmos aqui na favela ele não há de brincar com mais ninguem. Antes eu falava e ele revoltava. Agora eu falo e ele ouve. Eu pretendia conversar com o meu filho as coisas serias da vida só quando ele atingisse a maioridade.

Mas quem reside na favela não tem quadra de vida. Não tem infancia, juventude e maturidade.

O meu filho, com 11 anos já quer mulher. Expliquei-lhe que ele precisa tirar o diploma de grupo. E estudar depois, que o curso primario[23] é muito pouco.

13 de julho ... Estão chegando as enfermeiras do Frei Luiz, que vem curar as chagas dos favelados. Elas estão ensinando as crianças rezar. (...) Eu queria saber como é que o Frei Luiz descobriu que os favelados tem chagas.

Esquentei o jantar para as crianças. Ouço a Meiry convidando a Nair para ir no baile da Rua A. A Vera está tussindo. Levanto-me para dar-lhe um comprimido. Estou com febre. Não posso levantar. Estou esperando o José Carlos chegar. Quando ele chegou deu-me a caixa onde eu guardo os remedios e tomei uma Salofeno e a dor foi desaparecendo e eu adormeci. Despertei as 2 da madrugada com o Arnaldo e a Leila brigando.

14 de julho Passei o dia deitada por estar com febre e dor nas pernas. Não tinha dinheiro, mas eu havia deixado uns ferros lá no senhor Manoel e mandei o José Carlos ir pesar e receber. Ganhou 22

23 *Até 1971, os quatro primeiros anos do atual Ensino Fundamental constituíam o curso primário, a que se seguia o ginasial, também com a duração de quatro anos.* (N.E.)

cruzeiros. Comprei 5 de pão e 5 de açucar e comprimido. Levantei só para preparar as refeições. Passei o dia deitada. O José Carlos ouviu a Florenciana dizer que eu pareço louca. Que escrevo e não ganho nada.

15 de julho Hoje é o aniversario de minha filha Vera Eunice. Eu não posso fazer uma festinha porque isto é o mesmo que querer agarrar o sol com as mãos. Hoje não vai ter almoço. Só jantar.

... Estou mais disposta. Ontem supliquei ao Padre Donizeti[24] para eu sarar. Graças a Deus que atualmente os santos estão protegendo. Porque não sobra dinheiro para eu ir no medico.

... Fui catar papel, levei os filhos. Eu agora quero ter o João debaixo dos meus olhos. Fui na Dona Julita. Ela está em Santo André. Cheguei em casa fiz o almoço. Fui no Senhor Manoel vender os ferros. Ganhei 25 cruzeiros. Comprei pão. Quando cheguei na favela tinha um purtuguês vendendo miudo de vaca. Comprei meio quilo de bucho. Mas eu não gosto de negociar com purtuguês. Eles não tem iducação. São obcenos, pornograficos e estupidos. Quando procura uma preta é pensando explorá-la. Eles pensam que são mais inteligentes do que os outros. O purtuguês disse para a Fernanda que lhe dava um pedaço de figado se ela lhe aceitasse. Ela não quiz. Tem preta que não gosta de branco. Ela saiu sem comprar. Ele deixou de vender por ser atrevido.

16 de julho ... Não havia papel nas ruas. Passei no Frigorifico. Havia jogado muitas linguiças no lixo. Separei as que não estava estragadas. (...) Eu não quero enfraquecer e não posso comprar. E tenho um apetite de Leão. Então recorro ao lixo.

---

24 *Referência ao padre Donizetti, que, com fama de milagroso, atraía muitos fiéis até a cidade paulista de Tambaú, onde morava.* (N.E.)

17 de julho A Leila e o Arnaldo brigaram toda a noite. Não nos deixou dormir. Deixei o leito às 5 e meia e carreguei agua. Na torneira sempre sai encrenca:

— Você passou na minha frente!

— Não passei!

E daí prossegue. Um dia o esposo da Dona Silvia estava na torneira e discutiram, ele e um nortista, o senhor Manoel pai do Zé Maria. Enquanto eles trocavam insultos eu presenciava. O nortista tirou a peixeira. O Antonio de Andrade tem 65 anos. Mas quando viu a peixeira reluzir saltou igual ao Ademar Ferreira no salto triple[25].

... Saí e fui catar papel. Ganhei 60 cruzeiros. Parei para conversar com a Dona Anita. Ela está preocupada com as noticia de guerra... Que a guerra é ingrata para os jovens. Que é pungente a condição dos pracinhas. Que heroi são os jogadores de *fut-bol*. Os pracinhas são venerados pelas mulheres. É que os pracinhas são nossos filhos.

Eu ouvi dizer que o General Teixeira Lot[26] não vai enviar tropas para o Oriente Medio. Se for assim creio que devemos considerar e venerar o nosso general que já demonstrou o seu desvelo pelo povo e o paíz.

18 de julho ... Saí e fui catar papel. Ouvia as mulheres lamentando com lagrimas nos olhos que não mais aguenta o custo de vida. (...) Levei o João para evitar encrenca. Passei na banca de jornal na Avenida Tiradentes e parei para conversar com uns senhores e com o jornaleiro.

Cheguei na favela era 12 e meia. O Durvalino passou com um pedaço de carne na mão. Parou para brincar com a Neide e come-

---

25 *O atleta paulista Ademar Ferreira da Silva foi medalha de ouro nas olimpíadas de 1952 e 1956 e estabeleceu por três vezes o recorde mundial do salto triplo.* (N.E.)

26 *O General Teixeira Lott era o Ministro da Guerra do Brasil em 1958, quando o Oriente Médio vivia sérios conflitos provocados pela queda do rei do Iraque. Tropas estrangeiras eram enviadas à região.* (N.E.)

çou falar do Bobo. Que ele não presta e vai ser um pessimo esposo. Deu um pedaço de carne para a Dona Aparecida.

19 de julho ... Fui na bolacha. O dono disse que não dava mais bolacha. Voltei catando tudo que encontrava. Está chovendo e eu não quiz catar papel. Quando cheguei na favela a Vera contou-me que a baiana havia lhe chingado. Uma mulher de 32 anos brigar com uma criança de 5 anos! Uma visinha que viu a baiana chingando a Vera confirmou. Assim que a nojenta viu-me começou insultar-me. Mostrou uma peixeira para o José Carlos e disse que pretende lhe picar.

Fui no senhor Manoel vender uns ferros. Ganhei 55 cruzeiros. Levei pouco material e achei que era muito dinheiro. Perguntei ao senhor Manoel se não errou no troco.

... Fui na feira, comprei 1 quilo de feijão e 1 rim. O resto eu catei. Quando um purtuguês jogou uns pés de alface no chão e eu peguei, o purtuguês gritou:

— Chegou a freguesia do Bastião!

... Hoje eu não lavo as roupas porque não tenho dinheiro para comprar sabão. Vou ler e escrever.

A Leila pegou machado e repicou o fundo da bacia. A bacia é da Ivone Horacio, que deu-me as 5 canivetadas em 1952.

O processo foi cancelado porque ela não compareceu no foro. A Ivone pediu a bacia, a Leila não queria devolver. Picou o fundo. Eu fiquei horrorisada e com dó.

... Dois nortistas brigaram. Só procuram insultos. O Vitor Franquistém, o valentão, apanhou do Valdemar Espadela. Todos gostaram porque o Vitor quer ser o Lampeão da Favela. Foram 2 cacetadas. Agora as mulheres estão dizendo que vão cotisar e comprar uma camisa de lã para dar de presente ao Valdemar para comemorar o seu grande feito.

20 de julho ... Eu estava escrevendo quando ouvi a voz do senhor Binidito. Mandei ele entrar. Ele conduziu um senhor do Centro Espirita Divino Mestre, localisado na Rua Oriente, que veio dar cartão para a gente buscar agasalho para as crianças, dia 23. Fiquei tão contente que saí da cama com rapidez. E expliquei ao senhor o que é que eu escrevo.

... Ia recomeçar escrever quando o Adalberto chegou. Veio fazer uma cerca para mim. Para evitar a entrada dos nortistas que por qualquer motivo vem aborrecer. Quem trabalhou na cerca foi o Adalberto, o Luiz, hospede recente da favela e o José da Dona Rosa. Compraram pinga e eu fiz caipirinha. E fiz almoço para eles. Era 1 hora quando eu ia recomeçar escrever. O senhor Alexandre começou a bater na sua esposa. A Dona Rosa interviu. Ele dava ponta-pé nos filhos. Quando ele ia enforcar a Dona Nena, a Dona Rosa pediu socorro. Então o soldado Edison Fernandes foi pedir ao senhor Alexandre para não bater na sua esposa. Ele não obedeceu e ameaçou o soldado com uma peixeira. O Edison Fernandes deu-lhe uns tapas. O Alexandre avoou que nem balão impelido pelo vento.

O soldado Edison mandou-me telefonar para a Radio Patrulha. Eu fui avuando. Telefonei e voltei correndo. Quando cheguei na favela a briga estava quente. O Alexandre chingava as crianças que iam olhar e avançou para o meu filho João. E desacatava o soldado Edison, querendo bater-lhe no rosto e dizendo-lhe:

— Leva a minha mulher para você! Mulher depois que casa é para suportar o marido e eu não adimito soldado dentro da minha casa. Você está interessado na minha mulher?

Assim que os favelados me viram, gritaram:

— Cadê a Policia?

— Já telefonei.

Em 5 minutos a Radio Patrulha apareceu. Eu e a Vera entramos no carro. A Vera começou sorrir achando delicioso andar de carro. Quando o povo da alvenaria me viram na Radio Patrulha gritaram:

— Crime na favela!

E corriam na direção da favela. Vi entre as pessoas o meu compadre José Nogueira.

... O José Carlos regressou do cinema e eu contei-lhe o *shou* do seu Alexandre. Ele disse-me que o Alexandre estava no ponto do bonde. Não acreditei. Será possivel que a Policia ia soltar um homem tão turbulento que não respeita as crianças?

Como eu já estava previnida, não assustei quando ouvi a voz do Alexandre discutindo com a mãe do soldado Edison. Eu intervi porque ela está gestante. Eu saí para procurar o Bobo para ele retirar o Alexandre de dentro da casa. Mas o Binidito já havia empurrado o Alexandre para fora. Ele entrou no seu barraco e fechou a porta. Estava tão bebado que não podia parar de pé.

Deitamos. Eu estava agitada e nervosa porque queria passar o dia escrevendo. Custei durmir. Eu fiquei cançada de tanto correr para ir chamar a Radio Patrulha. Despertei as 4 horas da manhã com a voz do Alexandre que estava maltratando a sua esposa e chingando o soldado Edison. Dizia:

— Aquele negro sujo me bateu. Mas ele me paga! Eu me vingo!

Vendo que o Alexandre não parava de falar, eu fui na Delegacia. O soldado que estava de plantão disse:

— Favela é de morte!

Disse-me que se o Alexandre continuasse a perturbar para eu voltar as 6 horas. Voltei para a favela, ele estava na rua insultando. Resolvi fazer café. Abri a janela e joguei um pouco dagua no Alexandre.

— Você chamou a Radio Patrulha para mim. Negra fidida! Mas você me paga!

21 de julho ... Fui catar papel. Estava horrorisada com a cena que o Alexandre representou de madrugada. Catei muitos ferros e pouco papel. Quando eu estava perto da banca de jornal tropecei e caí. Devido eu estar muito suja, um homem gritou:

— É fome!

E me deram esmola. Mas eu caí porque estava com sono.

Pensei no Alexandre porque ele não precisa pensar no trabalho. Porque obriga a esposa a pedir esmola. Ele tem uma filha: a Dica. A menina tem 9 anos. Ela pede esmola de manhã e vai para a escola a tarde. A menina conhece as letras e os numeros. Mas não sabe formar palavras. Quando escreve ela põe qualquer letra que lhe vem na mente. Mistura numeros com letras. Escreve assim:

ACR85CZbO4Up7MnO10E20.

E já faz dois anos que ela está na escola.

... Enquanto eu estava na rua o Alexandre maltratou a mãe do soldado Edison. Quando eu cheguei ele começou insultar-me:

— Negra suja. Ordinaria. Vagabunda. Lixeira.

Eu não tenho paciencia, lhe chinguei, joguei-lhe um vidro no rosto. Ele fechou a janela. Abriu outra vez, eu lhe joguei uma escova de lavar casa. Ele fechou a janela. Depois abriu e começou descompor o soldado Edison. O soldado Edison foi falar com ele. Quando ele viu o soldado assustou-se e disse:

— Aquele tapa que você me deu, você vai me pagar.

O soldado Edison disse-lhe:

— Então vamos resolver isto logo.

Ajuntou a criançada para presenciar a cena que eu reprovo. Espetaculo improprio. Enquanto o soldado discutia com o Alexandre eu fui catar pedras. O soldado Edison deu-lhe um tapa no rosto. E a criançada deu uma vaia.

... O Alexandre ficou com medo do soldado, entrou para dentro e fechou a porta. Apagou a luz e não perturbou durante a noite.

22 de julho ... Eu fui trabalhar e avisei os visinhos:

— Se o Alexandre aborrecer, avise!

Saí pensando na minha vida infausta. Já faz duas semanas que eu não lavo roupa por falta de sabão. As camas estão sujas que até dá nojo.

... Não fiquei revoltada com a observação do homem desconhecido referindo-se a minha sujeira. Creio que devo andar com um cartas nas costas:

Se estou suja é porque não tenho sabão.

Cheguei no Frigorifico. Os meninos entraram e cada um ganhou uma salchicha. Quando eu estava catando o papel surgiu o espanhol que faz a limpesa e começou gritar comigo. Hoje eu estou nervosa e não adimito que um extrangeiro grite comigo.

... Tem uma espanhola que vai no Frigorifico catar carne no lixo e quando vê o espanhol diz:

— Este non é de mi tierra. Isto é purtuguês!

E tem uma purtuguesa que diz:

— Esta besta não é de Portugal!

E eu, para arrematar digo:

— Graças a Deus, ele não é brasileiro!

23 de julho Deixei o leito as 7 horas. Estava indisposta. Graças a Deus o Alexandre socegou.

... Esquentei comida para os meninos e comecei preparar para irmos no Centro Divino Mestre, para ganhar roupas para as crianças. Quando o povo via as mulheres da favela nas ruas perguntava se nós iamos no Gabinete prestar declarações.

— Houve um conflito — respondi.

E as mulheres sorriam.

No Centro Divino Mestre o senhor Pinheiro nos recebeu sorrindo. Não havia preconceitos nem distinção de classe. Eu ganhei duas blusas de malha. Uma para a Vera e outra para o José Carlos. Quando nós iamos para o Centro Espirita Divino Mestre o João ganhou um pulover. As palavras do senhor Pinheiro reanimou-me.

24 de julho Como é horrível levantar de manhã e não ter nada para comer. Pensei até em suicidar. Eu suicidando-me é por deficiencia de alimentação no estomago. E por infelicidade eu amanheci com fome.

Os meninos ganharam uns pães duro, mas estava recheiado com pernas de barata. Joguei fora e tomamos café. Puis o unico feijão para cosinhar. Peguei a sacola e saí. Levei os meninos. Fui na Dona Guilhermina, na Rua Carlos de Campos. E pedi para ela um pouco de arroz. Ela deu-me arroz e macarrão. E eu fiquei conversando com o seu esposo. Ele deu-me umas garrafas para eu vender. E eu catei uns ferros.

Depois de conseguir algumas coisas para os meninos comer. Reanimei-me. Acalmei o espirito. Fui no senhor Manoel vender as garrafas. Ganhei 22 cruzeiros. Comprei 10 de pão e um cafezinho.

... Cheguei na favela, fiz o almoço e fui lavar roupas. 3 semanas sem lavar roupas por falta de sabão. As visinhas ficaram horrorisadas vendo a quantidade de roupas que eu lavei. A Dona Geralda esposa do senhor João da Purtuguesa veio procurar a Fernanda dizendo que havia roubado a sua bacia de roupas. E foi vasculhar a casa da mãe da Fernanda. A Fernanda lhe acompanhou até a sua casa e encontraram a bacia na cosinha. Ela pediu desculpas a Fernanda e deu-lhe uma garrafa de pinga. Quando recebeu a garrafa de pinga, ela ficou tão contente. Sorria contemplando a garrafa. Veio elogiando a Dona Geralda.

— Que mulher boa!

O rancor da Fernanda desapareceu porque a pinga entrou como intermediaria.

25 de julho ... Achei o dia bonito e alegre. Fui catando papel.

26 de julho ... Eu estava tonta de fome devido ter levantado muito cedo. Fiz mais café. Depois fui lavar as roupas na lagoa, pensando no departamento Estadual de Saude que publicou no jornal que aqui na favela do Canindé há 160 casos positivos de doença caramujo. Mas não deu remedio para os favelados. A mulher que passou o filme com as demonstrações da doença caramujo nos disse que a doença é muito dificil de curar-se. Eu não fiz o exame porque eu não posso comprar os remedios.

... Mandei o João ir no senhor Manoel vender os ferros. E eu fui catar papel. No lixo do Frigorifico tinha muitas linguiças. Catei as melhores para eu fazer uma sopa. (...) Vim pelas ruas catando ferros. Quando cheguei no ponto do bonde encontrei o José Carlos que ia na feira catar verduras.

... O Adalberto veio procurar roupas. Não lhe atendi porque ele está ficando muito confiado. Ontem falou pornografia perto da Vera. E está aborrecendo-me.

... O senhor Manoel chegou. Deu-me 80 cruzeiros, eu não quiz pegar. Procurei as crianças para tomar banho. Ficaram alegre quando viu o senhor Manoel. Eu disse para o senhor Manoel que ia passar a noite escrevendo. Ele despediu-se e disse:

— Até outro dia!

Nossos olhares se encontraram e eu lhe disse:

— Vê se não volta mais aqui. Eu já estou velha. Não quero homens. Quero só os meus filhos.

Ele saiu. Ele é muito bom e iducado. E bonito. Qualquer mulher há de gostar de ter um homem bonito como ele é. Agradavel no falar.

... O Frei Luiz apareceu e deu aula de catecismo para as crianças. Fizeram uma procissão. Eu não compareci.

27 de julho ... Esquentei a comida para os meninos e comecei escrever. Procurei um lugar para eu escrever socegada. Mas aqui na favela não tem estes lugares. No sol eu sentia calor. Na sombra eu sentia frio. Eu estava girando com os cadernos na mão quando ouvi vozes alteradas. Fui ver o que era, percebi que era briga. Vi o Zé Povinho correndo. Briga é um espetaculo que eles não perdem. Eu já estou tão habituada a ver brigas que já não impreciono. É que haviam jogado fogo dentro do automovel do senhor Mario Pelasi. Queimou a chuteira, as meias e os tapetes do carro. Os meninos viu a fumaça no carro e foi avisá-lo. Ele estava jogando *fut-bol*.

28 de julho ... Deixei o João e levei só a Vera e o José Carlos. Eu estava tão triste! Com vontade de suicidar. Hoje em dia quem nasce e suporta a vida até a morte deve ser considerado heroi. (...) O verso preferido era este:

Ouço o povo dizer
O Adhemar tem muito dinheiro
Não tem direito de enriquecer
Quem é nacional, quem é brasileiro?

Bem: vamos deixar o Dr. Adhemar em paz porque ele está com a vida mansa. Não passa fome. Não come nas latas de lixo igual os pobres. Quando eu ia na residencia do Dr. Adhemar encontrei um senhor que deu-me este cartão: Edison Marreira Branco.

Estava tão bem vistido que atraiu os olhares. Disse-me que pretendia incluir-se na politica. Perguntei-lhe:

— Quais são suas pretensões na politica?

— Quero ficar rico igual ao Adhemar.

Fiquei horrorisada. Ninguem mais apresenta amor patriotico.

Quando passei no Frigorifico encontrei com a dona Maria do José Bento que disse-me:

— Se a gente não catar um pouco vamos acabar ficando loucos. Só Deus pode ter dó de nós, os pobres.

Ensinei-lhe a catar os alhos. E eu catei um pouco de carvão. Despedi da dona Maria e segui. Encontrei com a dona Nenê, a diretora da Escola Municipal, professora do meu filho João José. Disse-lhe que ando muito nervosa e que tem hora que eu penso em suicidar. Ela disse-me para eu acalmar. Eu disse-lhe que tem dia que eu não tenho nada para os meus filhos comer.

30 de julho ... Ganhei 15 cruzeiros e passei no sapateiro para ver se os sapatos da Vera estavam prontos, porque ela reclama quando está descalça. Estava pronto e ela calçou o sapato e começou a sorrir. Fiquei olhando a minha filha sorrir, porque eu já não sei sorrir.

... Encontrei a Rosalina que estava discutindo com o Helio. Ele não quer que fala que ele e a Olga pede esmola. A Rosalina dizia que ela é sosinha e sustenta 3 filhos. É que ela não sabe que o seu filho Celso anda dizendo que quer fugir de casa porque tem nojo dela. Acha a mãe muito barbara e avarenta. Ele diz que queria ser meu filho. Então eu lhe digo:

— Se voce fosse meu filho, voce era preto. E sendo filho de Rosalina voce é branco.

Ele respondeu-me:

— Mas se eu fosse teu filho eu não passava fome. A mamãe ganha pão duro e nos obriga a comer os pães duro até acabar.

Segui pensando na desventura das crianças que desde pequeno lamenta sua condição no mundo. Dizem que a Princesa Margareth da Inglaterra tem desgosto de ser princesa[27]. São os dilemas da vida.

31 de julho Acendi o fogo e fui buscar agua. Mandei o José Carlos buscar 6 de açucar. O Luiz que fez a cerca para mim entrou e sentou-se. Eu disse-lhe que eu ia sair e quando saio gosto de deixar os meus filhos sosinhos.

Eu saí correndo e fui catar papel. Havia pouco papeis nas ruas. Eu já estou aborrecendo de catar papel, porque quando eu chego no deposito tem a Cicilia que trabalha lá e é muito bruta. Insulta-me e eu finjo não ouvir. Diz que sou fidida. Dia 27 a Cicilia não deixou o José Carlos ir no mitorio. A Cicilia é tão bruta que a sua presença afasta o dono no deposito.

Hoje eu não estou nervosa. Estou triste. Porque eu penso as coisas de um jeito e corre de outro. O Antonio Nascimento que residia aqui na favela mudou-se. Ele e a sua companheira. Eles estavam mal colocados aqui na favela. Ninguem apreciava eles aqui na favela. Porque ele abandonou os 4 filhos, e ela os 3 filhos. 7 crianças

27 *A princesa Margareth, irmã mais nova da rainha, escandalizou a sociedade britânica com seus casos amorosos e quebras de protocolo. Casou-se com um plebeu, de quem logo se divorciou.* (N.E.)

sofrendo por causa dos pais. O que ela lucrou deixando o seu esposo e os filhos? Largou um homem calçado e pegou outro descalço.

1 de agosto ... A Assistencia[28] estava chegando. Vinha examinar o Purtuguês que vende doces. Dia 28 de julho eu fui visita-lo. Ele queria uma Assistencia. Aludiam que ele não paga o IAPTC[29] e não vinham. Quando cheguei na favela fui visitá-lo. Ele estava gemendo e tinha duas senhoras purtuguesas que lhe visitava. Perguntei-lhe se estava melhor. Disse-me que não. A purtuguesa perguntou-me:

— O que é que a senhora faz?

— Eu cato papel, ferro, e nas horas vagas escrevo.

Ela disse-me com a voz mais sensata que já ouvi até hoje:

— A senhora vai cuidar de sua vida!

2 de agosto Vesti os meninos que foram para a escola. Eu saí e fui girar para arrancar dinheiro. Passei no Frigorifico, peguei uns ossos. As mulheres vasculham o lixo procurando carne para comer. E elas dizem que é para os cachorros.

Até eu digo que é para os cachorros...

3 de agosto ... Hoje os meninos vão comer só pão duro e feijão com farinha. Eu estou com tanto sono que não posso parar de pé. Estou com frio. E graças a Deus não estamos com fome. Hoje Deus está ajudando-me. Estou indecisa sem saber o que fazer. Estou andando de um lado para outro, porque não suporto permane-

---

28 *O mesmo que ambulância. (N.E.)*

29 *Instituto de Aposentadoria e Pensões dos Empregados em Transportes de Carga, hoje extinto. (N.E.)*

cer no barracão limpo como está. Casa que não tem lume no fogo fica tão triste! As panelas fervendo no fogo tambem serve de adorno. Enfeita um lar.

Fui na dona Nenê. Ela estava na cosinha. Que espetaculo maravilhoso! Ela estava fazendo frango, carne e macarronada. Ia ralar *meio* queijo para por na macarronada!

Ela deu-me polenta com frango. E já faz uns 10 anos que eu não sei o que é isto.

... Na casa de dona Nenê o cheiro de comida era tão agradavel que as lagrimas emanava-se dos meus olhos, que eu fiquei com dó dos meus filhos. Eles haviam de gostar daqueles quitutes.

Quando cheguei na favela a Leila e o Arnaldo estavam dando os seus espetaculos. E a criançada estavam apreciando.

Eu estava escrevendo quando a Vera veio avisar-me que estavam dando cartões e que havia muitas pessoas na rua. Fui correndo para ver. Varias pessoas acompanhava um senhor alto e loiro que conduzia um menino de 10 anos pela mão. Ele usava calças cinza claro e paletó azul anil. Passou por mim e deu-me um abraço. Fiquei perplexa com aquele abraço sem apresentação. É a primeira vez que vejo o homem.

A cunhada do Coca-Cola disse-me:

— Este é nosso deputado. Dr. Contrini.

Quando ela disse deputado federal pensei: é época de eleições, porisso é que eles está tão amavel.

... O senhor Contrini veio nos dizer que é candidato nas eleições. Nós da favela não somos favorecidos pelo senhor. Não te conhecemos.

6 de agosto Fiz café para o João e o José Carlos, que hoje completa 10 anos. E eu apenas posso dar-lhe os parabens, porque hoje nem sei se vamos comer.

7 de agosto Deixei o leito as 4 horas. Eu não dormi porque deitei com fome. E quem deita com fome não dorme.

... Vi o fiscal circulando e falando. Fui ver do que se tratava. Estava procurando o senhor Tiburcio. Ele faz barracão para vender. Ele pede esmola na rua Direita. Ele não precisa e não reside na favela. Ele já construiu sete barracões e vendeu. O Tiburcio tem o fisico defeituoso e a alma tambem.

Quando o João chegou da escola dei-lhe almoço. Depois fomos na cidade. Fomos a pé porque não tinha dinheiro para pagar a condução. Levei uma sacola e ia catando os ferros que encontrava nas ruas. Passamos pela rua da Cantareira. A Vera olhava os queijos e engulia as salivas.

... A dona Alice contou-me que o Policarpo nortista que reside aqui na favela pois uma preta para residir na sua casa. Disse para a mulher que ela era sua prima. E a mulher é muito boa e aceitou a prima em casa com prazer. E a prima ficou em casa varios dias. A mulher do Policarpo saía e ele ficava com a prima. E um dia, a dona Maria ao chegar em casa, encontrou o Policarpo e a prima, na copola. Ela não gostou e brigaram. E o Policarpo saiu de casa com a prima e foi para Descalvado. Levou os moveis e deixou só a cama.

8 de agosto Saí de casa as 8 horas. Parei na banca de jornais para ler as noticias principais. A Policia ainda não prendeu o Promessinha. O bandido insensato porque a sua idade não lhe permite conhecer as regras do bom viver. Promessinha é da favela da Vila Prudente. Ele comprova o que eu digo: que as favelas não formam carater. A favela é o quarto de despejo. E as autoridades ignoram que tem o quarto de despejo.

... Fui lavar as roupas. Na lagoa estava a Nalia, a Fernanda e a Iracema, que discutiam religião com uma senhora que dizia que a verdadeira religião é a dos crentes.

A Fernanda diz que a Biblia não manda ninguem casar-se. Que manda crescer e multiplicar. Eu disse para a Fernanda que o Policarpo é crente e tinha varias mulheres. Então a Fernanda disse que o Policarpo não é crente.

— É quente!

Achei graça no trocadilho e sorri. Dei uma gargalhada. E coisa que eu não discuto é religião.

Terminei as roupas e deixei a discussão no auge. (...) Hoje a Assistencia esteve aqui duas vezes, porque a Aparecida teve um aborto.

A Quita veio no meu barracão reclamar que o José Carlos havia jogado bosta no rosto da Marli, e que eu devo dar mais iducação ao meu filho.

9 de agosto Deixei o leito furiosa. Com vontade de quebrar e destruir tudo. Porque eu tinha só feijão e sal. E amanhã é domingo.

... Fui na sapataria retirar os papeis. Um sapateiro perguntou-me se o meu livro é comunista. Respondi que é realista. Ele disse-me que não é aconselhavel escrever a realidade.

... Aqui na favela está um reboliço. É que o deputado Francisco Franco deu material para terminar a sede do Rubro Negro. Deu as telhas e as camisas e o povo da favela fala diariamente neste deputado. Vão fazer uma festa para homenageá-lo.

10 de agosto Dia do Papai. Um dia sem graça.

11 de agosto ... Eu estava pagando o sapateiro e conversando com um preto que estava lendo um jornal. Ele estava revoltado com um guarda civil que espancou um preto e amarrou numa arvore. O guarda civil é branco. E há certos brancos que transforma preto em bode expiatorio. Quem sabe se guarda civil ignora que já foi extinta a escravidão e ainda estamos no regime da chibata?

Assustei quando ouvi meus filhos gritar. Conheci a voz da Vera.

Vim ver o que havia. Era o Joãozinho, filho da Deolinda, que estava com um chicote na mão e atirando pedra nas crianças. Corri e arrebatei-lhe o chicote das mãos. Senti o cheiro de alcool. Pensei: ele está bebado porque ele nunca fez isto. Um menino de 9 anos. O padrasto bebe, a mãe bebe e a avó bebe. E ele é quem vai comprar pinga. E vem bebendo pelo caminho.

Quando chega, a mãe pergunta admirada:

— Só isto? Como os negociantes são ladrões!

12 de agosto Deixei o leito as 6 e meia e fui buscar agua. Estava na fila enorme. E o pior de tudo é a meledicencia que é o assunto principal. Tinha uma preta que parece que foi vacinada com agulha de vitrola. Falava do genro que brigava com sua filha. E a Dona Clara ouvia porque era a unica que lhe dava atenção.

Atualmente é dificil para pegar agua, porque o povo da favela duplica-se. E a torneira é só uma.

13 de agosto ... Vieram queixar-se que a Zefa brigou com uma nortista e discutiram. Os calões entraram em ação. Eu só tenho dó das crianças que ouvem os improperios. A Zefa é mulata. É bonita. É uma pena não saber ler. Só que ela bebe muito. Ela já teve duas filhas, e bebia muito. Esquecia de alimentar as crianças, e elas morreram.

... Eu mandei o João levar um bilhete no Circo Irmãos Melo pidindo se aceitava-me para cantar. Depois fui lavar as roupas. Eu estava preparando para ir no circo quando ouvi rumores que o Anselmo havia atirado no João Coque. Eu estava escrevendo, esperando o arroz secar. Guardei o caderno e fiquei girando, procurando o João. Encontrei ele sentado no campo da Purtuguesa, segurando as pernas com uma mão e a bola na outra. Perguntei-lhe se já tinha ido chamar a Policia. Ele disse-me que sim.

Queixou-se que a perna estava sem ação. Ele tentou calçar o sapatos e encontrou dificuldades. Dei-lhe os meus chinelos. Os curiosos aglomeraram. Não havia comentarios. O povo chingava só o Anselmo. Vou contar quem é o Anselmo. Depois relato quem é o João.

O Anselmo apareceu aqui em 1950 com uma mulher que estava gravida. Quando a mulher deu a luz, um menino, ele começou maltratá-la. Ela estava de dieta e ele lhe expancava e lhe expulsava de casa. Ela chorava tanto que o leite secou. (...) Agora impricou com o João porque ele está namorando a Iracema. E o barracão da Iracema é perto do barraco do Anselmo. E o João conversa com a noiva perto da casa do Anselmo, que não quer. Deu ordem ao João para ir namorar perto do rio.

... O João estava na sua casa tomando café quando o Anselmo lhe chamou para conversar. O João disse-lhe que havia chegado do trabalho e não podia atendê-lo. Ia entrando quando o Anselmo lhe atirou. Ele não viu o Anselmo puchar a arma. O Anselmo visava o peito. Mas a bala atingiu a perna.

O Anselmo fugiu.

... O povo diz que vai reunir para expancar o Anselmo. (...) O João foi fazer curativo na Central e retornou-se. Perguntei-lhe se havia tomado anestesia. Disse-me que tomou só ingeção contra o teto.

E assim é mais um processo para a Delegacia.

14 de agosto ... O Ditinho filho da Nena é um veterano da favela. Mas é um pelado. Não aprendeu ler. Não aprendeu um oficio. Só aprendeu beber pinga. A Nena tinha um barracão na Rua do Porto. Bem construido. Mas o Tiburcio tapeou a pobre Nena. Trocou os barracões. Deu-lhe um mal construido e ficou com o dela. Depois, ele vendeu por quinze mil cruzeiros.

... Fui até o Deposito, ganhei 15 cruzeiros. Passei no sapateiro, para mandar ele concertar os sapatos da Vera. Fiquei percorrendo as ruas. Estava nervosa, porque estava com pouco dinheiro, e amanhã é feriado. Uma senhora que regressava da feira disse-me para eu ir buscar papeis na rua Porto Seguro, no predio da esquina, 4 andar, 44.

Subi no elevador, eu e a Vera. Mas eu estava com tanto medo, que os minutos que permaneci dentro do elevador pareceu-me seculos. Quando cheguei no quarto andar respirei aliviada. Tinha a impressão que estava saindo de um tumulo. Toquei a campainha. Surgiu a dona da casa e a criada. Ela deu-me um saco de papeis. Os dois filhos dela conduziu-me no elevador. O elevador em vez de descer, subiu mais dois andares. Mas eu estava acompanhada, não tive receio. Fiquei pensando: a gente fala que não tem medo de nada, as vezes tem medo de algo inofensivo.

No sexto andar o senhor que penetrou no elevador olhou-me com repugnancia. Já estou familiarisada com estes olhares. Não entristeço.

Quiz saber o que eu estava fazendo no elevador. Expliquei-lhe que a mãe dos meninos havia dado-me uns jornaes. Era este o motivo da minha presença no elevador. Perguntei-lhe se era medico ou deputado. Disse-me que era senador.

O homem estava bem vestido. Eu estava descalça. Não estava em condições de andar no elevador.

Pedi ao jornaleiro para ajudar-me a por o saco nas costas, que o dia que eu estivesse limpa eu lhe dava um abraço. Ele sorriu e disse-me:

— Então já sei que vou morrer sem receber o teu abraço, porque você nunca está limpa.

Ele ajudou-me por os papeis na cabeça. Fui na fabrica, depois fui no senhor Rodolfo. Ganhei mais 20 cruzeiros. Depois fiquei cançada. Voltei para casa. Estava tão cançada que não podia ficar de pé. Tinha a impressão que ia morrer. Eu pensava: se eu não morrer, nunca mais hei de trabalhar assim. Eu estava com falta de ar. Ganhei 100 cruzeiros.

... Fui deitar-me. As pulgas não me deixou em paz. Eu já estou cançada desta vida que levo.

15 de agosto ... Eu ia catar esterco para levar na casa da Ivani, quando vi um caminhão na Rua A, parado na porta do Anselmo. A Florenciana e a Dona Lurdes vinha avisar o João Coque que o Anselmo ia mudar-se. Para ele ir chamar a policia. Ele não pode andar porque levou o tiro na perna. Eu fui.

Em cinco minutos a noticia circulou que eu tinha ido telefonar para a policia, para impedir a mudança do Anselmo. Eu cheguei antes da Policia e os favelados, assim que me viram perguntaram:

— Cadê a Policia, Carolina?

Se eu guardasse todo o dinheiro que já gastei telefonando para a Radio Patrulha, eu podia comprar um quilo de carne!

... O povo estava esperando o Anselmo aparecer para lhe expancar. Reuniram homens e mulheres para o bate-fundo.

... Ouvi dizer que o Anselmo pulou a cerca e saiu pelo fundo. Eu disse que eu queria ser homem, porque assim eu podia quebrar e bater. Então um homem respondeu:

— Eu queria ser mulher, mas só de dia.

E todos sorriram.

... O Lalau e a sogra brigaram. Ela deu-lhe com o cabo da vassoura. Ela corria e lhe perseguia. Estavam bebados.

16 de agosto Passei na sapataria. O senhor Jacó estava nervoso. Dizia que se viesse o comunismo ele havia de viver melhor, porque o que a fabrica produz não dá para as despesas.

Antigamente era os operarios que queria o comunismo. Agora, são os patrões. O custo de vida faz o operario perder a simpatia pela democracia.

O saco de papeis estava muito pesado e um operario ajudou-me erguê-lo. Estes dias eu carreguei tanto papel que o meu ombro esquerdo está ferido.

Quando eu passava na Avenida Tiradentes, uns operarios que saíam da fabrica disse-me:

— Carolina, já que você gosta de escrever, instiga o povo para adotar outro regime.

Um operario perguntou-me:

— É verdade que você come o que encontra no lixo?

— O custo de vida nos obriga a não ter nojo de nada. Temos que imitar os animaes.

17 de agosto ... Quando eu fui almoçar fiquei nervosa porque não tinha mistura. Comecei ficar nervosa. Vi um jornal com o retrato da deputada Conceição da Costa Neves, rasguei e puis no fogo. Nas epocas eleitoraes ela diz que luta por nós.

18 de agosto ... As segundas-feiras eu não gosto de perder. Saio cedo porque encontra-se muitas coisas no lixo. Saí com a Vera. Eu tenho tanto dó da minha filha!

Fui na Dona Julita, peguei papel. Ganhei 55 cruzeiros. O que é que se compra com 55 cruzeiros?

Fiquei nervosa. Quando cheguei em casa deitei porque eu catei uns trinta quilos de ferros e latas. E conduzi na cabeça. Depois que eu descansei fui na Rosalina pedir o carrinho para levar os ferros no deposito. Ela emprestou-me e eu carreguei o carrinho. Eu estava com frio. Fui recebida com alegria pelo senhor Manoel. Pesamos o material e eu recebi 191 cruzeiros.

Passei na Padaria Guiné e comprei uma guaraná e bananas. Puis a Vera no carrinho. Quando cheguei na favela estava moida. O João disse-me:

— Já que a senhora tem dinheiro, podia mandar arrancar o meu dente, porque está doendo.

Mandei ele vestir-se e lavar os pés.

Eu ia sair suja. Depois pensei: é melhor trocar-me. Troquei-me. Saí as pressas. Quando ia na rua Felisberto de Carvalho ouvi dizer que havia briga. Fui ver. Era a Meiry, a Pitita, o Valdemar e o Armim. O purtuguês tripeiro já havia terminado a venda dos miudos e ia para casa. Ele conhece a Meiry e parou para conversar. Surgiu o Valdemar e lhe pediu a bicicleta para dar umas voltas. O purtuguês respondeu:

— Quer bicicleta, compra.

E assim começou a troca de insultos. O Valdemar está habituado a dar nos favelados, deu um tapa no purtuguês. O purtuguês deu um soco no Valdemar e jogou-lhe no chão. O Armim foi a favor do Valdemar e jogou um tijolo no rosto do purtuguês, que caiu e a carteira caiu-lhe do bolso. Quando as faveladas viram a carteira ficaram loucas. E avançaram todos ao mesmo tempo para pegar a carteira. Quando cheguei perto da Ana do Tiburcio perguntei o que houve, ela começou explicar-me. E a Isabel sorria e dizia:

— Parecia chuva de dinheiro!

Eu corri e passei perto do Valdemar e do Armim que estavam sorrindo como se tivessem praticado um ato nobre. De longe eu vi o purtuguês que estava cheio de sangue. E o Valdemar disse:

— Não foi nada, D. Carolina.

Eu disse para o Armim:

— Dá o dinheiro do purtuguês.

Ele respondeu-me:

— Eu não sei de nada!

Quando eu cheguei perto do purtuguês, a Meiry estava lhe entregando a carteira. E o purtuguês dizia:

— Está faltando dinheiro.

Tinha uma moça branca perto da Meiry, que lhe chamava:

— Vamos, Meiry.

O purtuguês deu um pouco de carne para a Meiry. Era um coração.

... Fui levar o João no dentista. Vi uma placa na rua Itaqui, 2. Dentista. Dr. Paulo de Oliveira Porto.

Toquei a campanhinha e entrei. Uma senhora veio atender-me. Eu sentei para esperar. Mas estava aflita por causa dos filhos que haviam ficado sosinho. O Dr. Paulo veio atender e eu disse-lhe que ele é o dentista que está mais perto da favela e queria que extraisse um dente do meu filho João. O João sentou-se na cadeira.

— Quanto é, doutor?

— Cem cruzeiros!

Achei o preço exagerado. Mas ele já estava sentado na cadeira. Abri a bolsa e sentei. E comecei contar as notas de 5. Separei 20 notas de 5.

19 de agosto Eu não dormi. Saí do leito nervosa. Fui carregar agua.

O soldado Flausino disse-me que a C. era amante do pai. Que ela havia dito que ia com o pai e ganhava 50 cruzeiros.

Eu contei na torneira e as mulheres disseram que havia desconfiado.

Dia a dia a vida dos favelados piora com a fila de agua.

... A Vera estava alegre porque eu comprei uma alpargata para ela. De manhã ela havia chorado porque estava com os sapatos furados.

20 de agosto Saí e fui catar papel. Não conversei com ninguem. Encontrei com o fiscal da Prefeitura que brinca com a Vera dizendo que ela é sua namorada. E deu-lhe 1 cruzeiro e pediu-lhe um abraço.

Penetrou um espinho no meu pé e eu parei para retirá-lo. Depois amarrei um pano no pé. Catei uns tomates e vim para casa. Agora eu estou disposta. Parece que trocaram as peças do meu corpo. Só a minha alma está triste.

... Cheguei no ponto final do Canindé. Passei na COAP para comprar arroz. O mais barato, que já está velho e com gosto de terra.

21 de agosto ... Fiz café e mandei os filhos lavar-se para ir na escola. Depois saí e fui catar papel. Passei no Frigorifico e a Vera foi pedir salchicha. Ganhei só 55 cruzeiros. Depois voltei e fiquei pensando na minha vida. O Brasil é predominado pelos brancos. Em muitas coisas eles precisam dos pretos e os pretos precisam deles. (...) Quando eu estava preparando para fazer o jantar ouvi a voz da Juana que pediu-me alho. Dei-lhe 5 cabeças. Depois fui fazer o jantar e não tinha sal. Ela deu-me um pouco.

22 de agosto Deixei o leito as 5 horas e fui carregar agua. A fila já estava enorme. Eu tinha só 4 cruzeiros e um litro. Fui no senhor Eduardo, ele ficou com o litro e os 4 cruzeiros e deu-me um pão. Eu achei pequeno, mas o dinheiro era pouco.

... Fiz café e preparei os filhos para ir a escola. Fui catando papel. Catei estopas para vender. Passei numa casa da Avenida Tiradentes e levei 50 quilos de papel que uma senhora deu-me para vender para ela. Levei na cabeça e vendi. Deu 100 cruzeiros. Ela ficou alegre.

... Tem dia que eu invejo a vida das aves. Eu ando tão nervosa que estou com medo de ficar louca.

23 de agosto ... Hoje não tem aula porque é dia de reunião das professoras com os pais. Eu pretendo ir. Saí e levei os três filhos. Hoje eles estão distintos. Não estão brigando. Até eu estou mais calma. Noto transformação em mim.

Passei no Frigorifico para pegar os ossos. No inicio eles nos dava linguiça. Agora nos dá osso. Eu fico horrorisada vendo a paciencia da mulher pobre que contenta com qualquer coisa.

As crianças ficam contente porque ganham salchicha. Eu segui e fui para o deposito. Encontrei umas latas, ocultei no mato. Quando eu atravessava a linha do trem, olhei para ver se surgia algum trem e vi a Dona Armanda. Perguntei-lhe se o seu filho Aldo havia deixado um caderno para mim.

... Havia tanto papel nas ruas, que ganhei 100 cruzeiros. Comprei sanduiche para os filhos. Eles gostam de andar comigo porque compro algo para eles comer. A mãe está sempre pensando que os filhos estão com fome.

... Lavei as louças e varri o barraco. Depois fui deitar. Escrevi um pouco. Senti sono, dormi. Acordei varias vezes na noite, com as pulgas que penetra nas nossas casas, sem convite.

24 de agosto ... Fui lavar roupas. O sabão era pouco. A Dona Dolores deu-me uns pedaços. Eu comecei sentir tonturas, porque estava com fome.

... Fui na Chica. Ela disse-me que o Policarpo veio brigar com a esposa porque ela deu parte dele no Juiz.

... A Dorça disse-me que o peixeiro que o Armim e o Valdemar já assaltaram, jogou um saco no rosto do Valdemar, e enquanto ele procurava livrar-se do saco, ele lhe arrebatou o porrete das mãos e vibrou-lhe umas cacetadas, e eles correram.

O João e o José Carlos foram no cinema da igreja do Pari. Hoje eu estou indisposta. Lavei as roupas de qualquer geito porque não sei se amanhã eu amanheço doente.

Não sei qual é o desgraçado que entra no barracão para roubar. Porque sumiu a minha machadinha.

25 de agosto Fui buscar agua e fiz café. Não comprei pão. Não tinha dinheiro. Eu ia levar os filhos, vi uma menina que ia na aula, perguntei-lhe se ia ter aula. Disse-me que sim. Eu vesti o José Carlos, e o João foi do geito que estava. Prometi levar-lhe um lanche. E saí com a Vera. Não havia papeis nas ruas porque apareceu outro homem para catar. Achei ferros e metaes.

26 de agosto ... Cheguei na favela e esquentei a comida. Estava indisposta. Almocei e deitei. Adormeci. Que sono gostoso! Sem sonho, sem pesadelos.

Despertei com a voz da baiana que estava chingando os meus filhos e jogando pedras nas crianças. Aqui na favela ninguem lhe dá confiança porque ela briga por causa de criança. Fui falar com a Dona Alice. Que estou muito triste. Ela disse-me que a Pitita estava brigando com um senhor e disse-lhe que a mãe dele é pior do que a galinha. (...) O homem deu parte e a policia veio procurá-la. E ela fugiu.

27 de agosto ... A Dona Irene deu-me jornaes. Vendi, ganhei 30 cruzeiros. Vendi uns jornaes para uma professora. Ganhei 40 cruzeiros. Ela deu-me 20. Eu ganhei mais 5. Fiquei com 55. Passei na Fabrica (...) para catar uns tomates. Cheguei em casa e pedi o carrinho da Rosalina emprestado e fui buscar madeira para fazer o chiqueiro. Levei a Vera e o José Carlos. Depois fiquei vagabundando. Depois que eu trabalho e ganho dinheiro para os meus filhos, vou descançar. É um descanço justo.

28 de agosto Fui carregar agua. Que fila! Quando eu vejo a fila de latas fico desanimada de viver. Deixei as latas na fila e vim fazer café. Despertei o João. Ele abluiu-se e foi comprar pão. Eu lavei as louças e desinfetei o José Carlos. Troquei-lhe, dei-lhe café. Eles foram para a escola. Eu fui buscar agua. Havia querelas por causa de umas passar na frente das outras.

30 de agosto ... Passei no Frigorifico, ganhei ossos. Cheguei no deposito, ganhei 10 cruzeiros. Depois circulei pela rua Porto Seguro. Encontrei com aquele moço loiro, alto e bonito. O tipo de homem que as mulheres gostam de abraçar. Ele trabalha no Transporte. Ele parece o Nelson Edy[30]. Ele parou para comprimentar-me.

Fui no senhor Eduardo comprar querosene, oleo, e tinta para escrever. Quando eu pedi o tinteiro, um homem que estava perto perguntou-me se eu sabia ler. Disse-lhe que sim. Ele pegou o lapis e escreveu:

A senhora é casada? Se não for quer dormir comigo?

Eu li e entreguei-lhe, sem dizer nada.

---

30 *Nelson Eddy (1901-1978): cantor e ator de cinema americano, formou com Jeanette MacDonald uma popular dupla em operetas e comédias musicais. (N.E.)*

31 de agosto ... Dizem que vai ter baile por causa do batisado da menina da Leila. Estão cantando e bebendo.

1 de setembro ... Eu fui na feira, comprei uma laranja. Cheguei em casa a Vera estava no quintal. Dei-lhe uma sova.

2 de setembro Acendi o fogo e esquentei comida para os filhos porque não tinha dinheiro para comprar pão. Troquei os filhos que foram para a escola. E eu saí com a Vera. Quase fiquei louca. Porque havia pouco papel na rua. Agora até os lixeiros avançam no que os catadores de papeis podem pegar. Eles são egoistas. Na rua Paulino Guimarães tem um deposito de ferro. Todos os dias eles põe o lixo na rua, e lixo tem muito ferro. Eu catava os ferros para vender. Agora, o carro que faz a coleta, antes de iniciar a coleta vem na rua Paulino Guimarães e pega o lixo e põe no carro. Nogentos. Egoistas. Eles ja tem emprego, tem hospital, farmacia, medicos. E ainda vende no ferro velho tudo que encontra no lixo. Podia deixar os ferros para mim.

... Passei a tarde arranjando as latas. Depois fui na Bela Vista buscar um caixote. Quando eu passava perto do Frigorifico o caminhão de ossos estava estacionado. Pedi uns ossos para o motorista. Ele deu-me um que eu escolhi. Tinha muita gordura.

... Fiz a sopa e comecei escrever. A noite surgiu. O João jantou-se e deitou-se. Puis a Vera no berço. O José Carlos estava na rua, com medo de apanhar, porque ele é muito porco. Sujou a camisa de barro. Eu fiz um chiqueiro e vou por ele morando com o porco. Hão de dar-se bem.

A Pitoca passou na rua convidando o povo para ir ver o cineminha. Chamou o João. Eu disse que ele já estava dormindo. Fui ver o cineminha. Era desenho da Igreja.

No Play Boy[31] que o Adhemar pois aqui para as crianças, a noite são os marmanjos que brincam. O Bobo fazia tanto barulho que deturpava o espetaculo. Os favelados pizam no fio elétrico que liga a maquina. E a maquina desligava. Os proprios favelados falam que favelado não tem iducação. Pensei: vou escrever.

Quando eu voltava encontrei com o Paulo que vive com a Dona Aurora. Ela tem uma filha mulata clara. Ela diz que a filha é filha do Paulo. Mas, as feições não condiz.

... Eu durmi. E tive um sonho maravilhoso. Sonhei que eu era um anjo. Meu vistido era amplo. Mangas longas cor de rosa. Eu ia da terra para o céu. E pegava as estrelas na mão para contemplá-las. Conversar com as estrelas. Elas organisaram um espetaculo para homenagear-me. Dançavam ao meu redor e formavam um risco luminoso.

Quando despertei pensei: eu sou tão pobre. Não posso ir num espetaculo, por isso Deus envia-me estes sonhos deslumbrantes para minh'alma dolorida. Ao Deus que me proteje, envio os meus agradecimentos.

3 de setembro Ontem comemos mal. E hoje pior.

8 de setembro ... Hoje eu estou alegre. Estou rindo sem motivo. Estou cantando. Quando eu canto, eu componho uns versos. Eu canto até aborrecer da canção. Hoje eu fiz esta canção:

Te mandaram uma macumba
e eu já sei quem mandou
Foi a Mariazinha
Aquela que você amou
Ela disse que te amava
Você não acreditou.

---

31 *A autora refere-se ao* playground *instalado pela prefeitura na favela do Canindé.* (N.E.)

9 de setembro Não houve aula porque o presidente da Italia[32] vai chegar em São Paulo. Não saí porque está chovendo. (...) Passei o dia escrevendo. E a tarde fiz uma sopa de feijão com arroz.

14 de setembro ... Hoje é o dia da pascoa de Moysés. O Deus dos judeus. Que libertou os judeus até hoje. O preto é perseguido porque a sua pele é da cor da noite. E o judeu porque é inteligente. Moysés quando via os judeus descalços e rotos orava pedindo a Deus para dar-lhe conforto e riquesas. É por isso que os judeus quase todos são ricos.

Já nós os pretos não tivemos um profeta para orar por nós.

18 de setembro Hoje eu estou alegre. Eu estou procurando aprender viver com espirito calmo. Acho que é porque estes dias eu tenho tido o que comer.

... Quando eu vi os empregados da Fabrica (...) olhei os letreiros que eles trazem nas costas e escrevi estes versos:

Alguns homens em São Paulo
Andam todos carimbados
Traz um letreiro nas costas
Dizendo onde é empregado.

19 de setembro ... No Frigorifico eles não põe mais lixo na rua por causa das mulheres que catavam carne podre para comer.

---

32 *Trata-se de Giovanni Gronchi, presidente da Itália de 1955 a 1962.* (N.E.)

20 de setembro ... Fui no emporio, levei 44 cruzeiros. Comprei um quilo de açucar, um de feijão e dois ovos. Sobrou dois cruzeiros. Uma senhora que fez compra gastou 43 cruzeiros. E o senhor Eduardo disse:

— Nos gastos quase que vocês empataram.

Eu disse:

— Ela é branca. Tem direito de gastar mais.

Ela disse-me:

— A cor não influi.

Então começamos a falar sobre o preconceito. Ela disse-me que nos Estados Unidos eles não querem negros na escola.

Fico pensando: os norte-americanos são considerados os mais civilisados do mundo e ainda não convenceram que preterir o preto é o mesmo que preterir o sol. O homem não pode lutar com os produtos da Natureza. Deus criou todas as raças na mesma epoca. Se criasse os negros depois dos brancos, aí os brancos podia revoltar-se.

23 de setembro ... Fui na Dona Julita. Ela deu-me comida. Ela está nervosa porque o senhor João está doente. Ele disse que não odeia os que lhe lesaram. Que ele ficando pobre viu muitas nobresas na pobresas.

Percebi que entre os ricos há sempre uma divergencia por questões de dinheiro. Não posso esclarecer estas questões porque sou pobre como rato.

25 de setembro ... Não durmi por estar exausta. Pensei até que ia morrer. Eu tenho impressão que estou num deserto. Tem hora que eu odeio o reporter Audálio Dantas[33]. Se ele não prendes-

---

33 *O jornalista Audálio Dantas, na época repórter da* Folha da Manhã *e da revista* O Cruzeiro, *foi quem descobriu os manuscritos da autora e encaminhou-os para publicação. (N.E.)*

se o meu livro eu enviava os manuscritos para os Estados Unidos e já estava socegada.

Levantei-me duas vezes para matar os pernilongos.

... Quando eu estava conversando com a Chica a companheira do Policarpo chamou-me. Eu não fui. Ela dirigiu-se para o interior de sua casa e voltou com uma intimação e entregou-me. Para eu ir no Gabinete de Investigação amanhã, dia 26 e levar o João.

É que no dia 8 de julho de 1958 ela disse-me que o meu filho João de 11 anos havia tentado violentar a sua filha. Eu não vi porque estava trabalhando. E ela não apresentou testemunha.

26 de setembro ... Preparei o almoço para os filhos. Eles chegaram da escola, almoçaram e eu troquei-me e fui no Gabinete. Levei os filhos. (...) No Gabinete resolveram alugar um automovel para nos conduzir até a Rua Asdrubal do Nascimento.

... Nós eramos sete pessoas no carro. Condoeu-me ver uma jovem que nos acompanhava. Ela disse-me que faz um ano que sua mãe faleceu. Que o seu pai lhe dirige uns olhares que lhe apavora. E que ela tem medo de ficar com ele em casa.

... Chegamos na Rua Asdrubal do Nascimento. (...) Eu fui falar com uma senhora que queria saber o que ocorria com o João.

Ela perguntou ao João se ele sabia o que era fazer porcaria. Ele disse que sabia.

E se ele havia feito porcaria na menina. Ele disse que não.

A funcionaria que interrogava parou de escrever e leu uns papeis. (...) Ela prosseguiu o seu interrogatorio. Usava o calão com o menino. E as perguntas obcenas, querendo que o menino descrevesse e relatasse os prazeres sexuaes.

Achei o interrogatorio horroroso. A Vera e o José Carlos ficaram perto para ouvir o que a mulher dizia. Quando a funcionaria falava eu tinha a impressão que estava na favela.

30 de setembro ... Eu estou a espera do oficial de Justiça senhor Feliciano Godoy. Ele deu-me umas intimações para distribuir aqui na favela. A Isabel não foi porque quem bebe não obedece. Ela fez as pazes com o negro dela.

Para ela, hoje é dia de amor.

3 de outubro Deixei o leito as 5 horas porque quero votar. (...) Na ruas só se vê cedulas pelo chão. Fico pensando nos desperdicios que as eleições acarreta no Brasil. Eu achei mais dificil votar do que tirar o titulo. E havia fila. A Vera começou chorar dizendo que estava com fome. O presidente da mesa disse-me que nas eleições não pode levar crianças. Respondi que não tinha com quem deixá-la.

4 de outubro Eu deixei o leito indisposta porque eu não dormi. O visinho é ademarista roxo e passou a noite com o radio ligado.

... Passei no Frigorifico para pegar ossos. Graças as eleições havia muito papel nas ruas. Os radios estão transmitindo os resultados eleitoraes. As urnas favorece o senhor Carvalho Pinto[34].

7 de outubro Morreu um menino aqui na favela. Tinha dois meses. Se vivesse ia passar fome.

12 de outubro ... Houve briga aqui na favela porque o homem que está tomando conta da luz quer 30 cruzeiros por bico. A conta da agua atinge só 1.100 e ele quer cobrar 25 de cada barracão.

---

34 *Carlos Alberto de Carvalho Pinto (1910-1987): foi efetivamente eleito governador de São Paulo em 1958. Seria ainda Ministro da Fazenda e senador. (N.E.)*

... Já faz tanto tempo que estou no mundo que eu estou enjoando de viver. Tambem, com a fome que eu passo quem é que pode viver contente?

16 de outubro ... Vocês já sabem que eu vou carregar agua todos os dias. Agora eu vou modificar o inicio da narrativa diurna, isto é, o que ocorreu comigo durante o dia.

17 de outubro Eu fiz os meus deveres e saí com a Vera. Fui na Dona Julita buscar a cama que ela deu-me. Ela está mais alegre porque o seu esposo está melhorando. Enquanto eu estava conversando com a Dona Julita dentro de casa dois meninos carregaram a cama.

Corri e alcancei os meninos e tomei a cama. (...) Levei a cama e fui vender para um judeu que compra moveis usados. Ele examinou a cama e disse:

— Eu dá 20.

— É pouco! A cama vale mais!

— Eu dá 25.

— É pouco! A cama vale mais!

— Eu dá 30.

— É pouco! A cama vale mais!

— Eu dá 35.

— É pouco! A cama vale mais!

— Eu dá 40. Mais não dá.

Eu já estava começando a ficar nervosa com o nosso dialogo. Ele deu 40 e eu fui embora e parei no portão para observar a Vera que queria mais dinheiro. E dizia:

— Se o senhor não dá mais dinheiro eu levo a cama.

O judeu deu um tapa no rosto da Vera e ela começou chorar. Ele disse-me:

— A senhora dá um cruzeiro para ela, porque eu não tenho trocado.

... Depois que eu jantei fiquei indisposta e fui deitar. Sonhei. No sonho eu estava alegre.

22 de outubro ... O Orlando veio cobrar a água — 25 cruzeiros. Ele disse-me que não admite atraso com ele. Dei o jantar aos filhos, eles foram deitar-se e eu fui escrever. Não podia escrever socegada com as cenas amorosas que se desenrolavam perto do meu barracão.

Pensei que iam quebrar a parede!

Fiquei horrorizada porque a mulher que estava com o Lalau é casada. Pensei: que mulher suja e ordinaria! Homem por homem, mil vezes o esposo.

Creio que um homem só chega para uma mulher. Uma mulher que casou-se precisa ser normal.

Esta historia das mulheres trocar-se de homens como se estivesse trocando de roupa, é muito feio. Agora uma mulher livre que não tem compromissos pode imitar o baralho, passar de mão em mão.

23 de outubro ... O Orlando vivia fazendo biscate. Agora que passou a ser o encarregado da luz e da água deixou de trabalhar. De manhã ele senta lá na torneira e fica dando palpites. Eu penso: ele perde, porque a lingua das mulheres da favela é de amargar. Não é de ossos, mas quebra ossos.

Ate o Lacerda perde para as mulheres da favela!

24 de outubro ... Eu fiz café e mandei o José Carlos comprar 7 cruzeiros de pão. Dei-lhe uma cédula de 5 e 2 de aluminio, o dinheiro que está circulando no paíz. Fiquei nervosa quando contemplei o dinheiro de aluminio. O dinheiro devia ter mais valor que os generos. E no entretanto os generos tem mais valor que o dinheiro.

Tenho nojo, tenho pavor
Do dinheiro de aluminio
O dinheiro sem valor
Dinheiro do Juscelino.

... Eu descancei, fiz a sopa de lentilha com arroz e carne. Mandei o João comprar meio quilo de açucar, o burro comprou arroz.

Ele passa o dia lendo Gibi e não presta atenção em nada. Vive pensando que é o homem invisivel, Mandraque e outras porcarias.

25 de outubro ... A favela hoje está em festa. Vai ter uma procissão. Os padres enviaram uma imagem de Nossa Senhora. Quem quer, a imagem permanece 15 dias em cada barracão. Hoje estão rezando o terço na praça. A procissão vai até o ponto do bonde.

No barraco da Chica estão dançando.

28 de outubro ... A I. separou-se do esposo e está morando com a Zefa. O esposo dela encontrou ela com o primo. Agora I. veio comercializar o seu corpo, na presença do esposo. Penso: a mulher que separa-se do esposo não deve prostituir-se. Deve procurar um emprego. A prostituição é a derrota moral de uma mulher. É como um edificio que desaba. Mas tem mulher que não quer ser só de um homem. Quer ser dos homens. É uma unica dama, dançando quadrilha com varios homens. Sai dos braços de um, vai para os braços de outro.

A Dona Maria Preta trouxe a filha para eu desinfetá-la. Ela está com boqueira.

29 de outubro Deixei o leito as 6 horas. Fiquei nervosa porque não dormi. Passei a noite concertando o telhado por causa das goteiras. Concertava de um lado, pingava de outro.

Quando chove eu fico quase louca porque não posso ir catar papel para arranjar dinheiro.

... Eu sinto muito frio. Costumo vestir três palitó. E tem pessoas que me vê nas ruas e diz:

— Como você engordou!

Já se foi o tempo que a gente engordava.

A mulher do Zé Baiano primo do Ramiro contou-me e pediu-me para eu não dizer nada a ninguem que o José lhe expulsou de casa. Que já faz 20 dias que eles não falam.

Eu disse para ela fazer as pazes, que o José é muito bom.

30 de outubro ... Saí com a Vera. Notei anormalidade porque a Policia está nas ruas. Fui conversar com um servidor municipal. Ele queixou-se que pagou 5 cruzeiros de onibus.

Eu segui. Olhando os paulistas circular pelas ruas com a fisionomia triste. Não vi ninguem sorrir. Hoje pode denominar-se o dia da tristeza.

Eu comecei a fazer as contas quando levar os filhos na cidade quanto eu vou gastar de bonde. 3 filhos e eu, 24 cruzeiros ida e volta. Pensei no arroz a 30 o quilo.

Uma senhora chamou-me para dar-me papeis. Disse-lhe que devido ao aumento da condução a policia estava nas ruas. Ela ficou triste. Percebi que a noticia do aumento entristece todos. Ela disse-me:

— Eles gastam nas eleições e depois aumentam qualquer coisa. O Auro[35] perdeu, aumentou a carne. O Adhemar perdeu, aumentou as passagens. Um pouquinho de cada um, eles vão recuperando o que gastam. Quem paga as despezas das eleições é o povo!

---

35 *Auro Soares de Moura Andrade (1915-1982): deputado federal e senador por São Paulo. (N.E.)*

31 de outubro Fui carregar agua. Que bom! Não tem fila. Porque está chovendo. Vi as mulheres da favela agitadas e falando. Perguntei o que havia. Disseram que o Orlando Lopes, o atual dono da luz havia espancado a Zefa. E que ela deu parte e ele foi preso. Perguntei para o Geraldino se era verdade. Afirmou que sim.

... A Nena disse que o Orlando bateu na Zefa para valer. Eu fui catar papel. A Vera passou no Frigorifico para pedir a salchicha. Ganhei 106 cruzeiros. A Vera ganhou 6 cruzeiros, porque ela entrou num bar para pedir agua e pensaram que ela estava pedindo esmola.

... O Povo está dizendo que o Dr. Adhemar elevou as passagens para vingar do povo porque lhe preteriram nas urnas.

Quando cheguei em casa os filhos já estavam em casa. Esquentei a comida. Era pouca. E eles ficaram com fome.

... Nos bondes que circulam vai um policial. E nos onibus tambem. O povo não sabe revoltar-se. Deviam ir no Palacio do Ibirapuera[36] e na Assembleia e dar uma surra nestes politicos alinhavados que não sabem administrar o país.

Eu estou triste porque não tenho nada para comer.

Não sei como havemos de fazer. Se a gente trabalha passa fome, se não trabalha passa fome.

Várias pessoas estão dizendo que precisamos matar o Dr. Adhemar. Que ele está prejudicando o paiz. Quem viaja quatro vezes de onibus contribui com 600,00[37] para a C.M.T.C. Deste geito, ninguem mais pode.

... De manhã, quando eu ia saindo o Orlando e o Joaquim Paraiba vinham voltando da prisão.

1 de novembro ... Achei um saco de fubá no lixo e trouxe para dar ao porco. Eu já estou tão habituada com as latas de lixo, que não sei passar por elas sem ver o que há dentro.

---

36 *Na época, gabinete do prefeito de São Paulo. (N.E.)*

37 *O cálculo refere-se ao gasto mensal com ônibus. (N.E.)*

Hoje eu vou catar papel porque sei que não vou encontrar nada. Tem um velho que circula na minha frente.

Ontem eu li aquela fabula da rã e a vaca[38]. Tenho a impressão que sou rã. Queria crescer até ficar do tamanho da vaca.

... Percebi que o povo continua achando que devemos revoltar contra os preços dos generos e não atacar-mos só a C.M.T.C. Quem lê o que o Dr. Adhemar disse nos jornais que foi com dor no coração que assinou o aumento, diz:

— O Adhemar está enganado. Ele não tem coração.

— Se o custo de vida continuar subindo até 1960 vamos ter revolução!

2 de novembro Fui lavar roupas e permaneci no rio até as sete e meia. A Dorça foi lavar roupas e ficamos conversando sobre as poucavergonhas que ocorrem aqui na favela. Falamos da Zefa que apanha todos os dias. Falei das mulheres que não trabalham e estão sempre com dinheiro. Falamos do namoro do Lalau com a Dona M. E a dona M. diz que ele namora é com a Nena. A Nena é boba.

Lavei as roupas de cor e vim fazer café. Pensei que tinha café. Não tinha.

... A coisa que eu tenho pavor é de entrar no quartinho onde durmo, porque é muito apertado. Para eu varrer o quarto preciso desarmar a cama. Eu varro o quartinho de 15 em 15 dias.

... O almoço ficou pronto e os filhos não vieram almoçar. O João desapareceu. Percebi que ele foi no cinema. Eu almocei um pouquinho. Peguei um livro para eu ler. Depois senti frio. Fui sentar no sol. Achei o sol muito quente, fui sentar na sombra. (...) Conversei com um senhor. Disse-lhe que circula um boato que a favela vai acabar porque vão fazer avenida. Ele disse que não é pra já. Que a Prefeitura está sem dinheiro.

---

38 *Segundo a fábula, a rã avista um boi e inveja seu grande tamanho; começa a inchar a pele rugosa enquanto pergunta a seus filhos se já está maior do que o boi. De tanto se esforçar, a rã acaba morrendo.* (N.E.)

... O João chegou do cinema. Dei-lhe uma surra e ele saiu correndo.

3 de novembro ... Catei uns ferros. Deixei um pouco no deposito e outro pouco eu trouxe. Quando passei na banca de jornais li este *slogan* dos estudantes:

Juscelino esfola!
Adhemar rouba!
Jânio mata!
A Camara apoia!
E o povo paga!

... Parei na linha do trem para pegar umas latas porque eu havia deixado perto da gurita e pedi ao guarda para guardar. O guarda perguntou quanto eu ia receber das latas. Respondi que era 300,00. Que já estou farta de biscates. Ele disse que antes isso do que nada. Eu disse-lhe que as latas de oleo eram a 70,00 e agora está a 60,00. Ele disse:

— Em vez de subir, desce.

Disse que a vida está muito cara. Que até as mulheres estão caras. Que quando ele quer dar uma f... as mulheres quer tanto dinheiro que ele acaba desistindo.

Fingi que não ouvi, porque eu não falo pornografia. Saí sem agradecê-lo.

Dei um banho nos filhos. Eles foram deitar-se. E eu fui lavar as louças. Depois fui escrever. Senti canceira e sono. Fui deitar. Matei umas pulgas que estava circulando na cama e deitei. E não vi mais nada.

Dormi umas três horas seguidas. Despertei com a voz do Joaquim Paraiba, que estava reclamando que arrumou uma namorada que não quer namorar no escuro. Só lhe namora durante o dia, e a noite perto da luz.

Penso:

— Ele não está com boas intenções com a namorada.

4 de novembro ... Fui catar papel. (...) Quando eu voltava parei numa banca de jornais. Vi um homem chingando os policiais de burros. No clichê, um policial expancava um velho. O jornal dizia que era um policial do DOPS[39]. Resolvi tomar o bonde e ir para casa. (...) Fomos falando do Dr. Adhemar, unico nome que está em evidencia por causa do aumento das conduções. O homem disse-me que os nossos politicos são carnavalescos.

Eu acho que o Dr. Adhemar está revoltado. E resolveu ser energico com o povo para demonstrar que ele tem força para nos castigar.

Eu acho que os espiritos superiores não se vingam.

... Cheguei em casa cançada e com dor no corpo. Encontrei a Vera na rua. O bendito João, o meu filho manequim, não presta atenção em nada. O barraco estava aberto e os sapatos espalhados pelo assoalho. Ele não pois fogo no feijão. (...) Era 6 e meia quando o João apareceu. Mandei ele acender o fogo. Depois dei-lhe uma surra. Com uma vara e uma correia. E rasguei-lhe os Gibis desgraçados. Tipo da leitura que eu detesto.

5 de novembro ... Passei no emporio, vendi um litro para o senhor Eduardo por 3 cruzeiros para pagar o onibus. Quando cheguei no ponto de onibus encontrei com o Toninho da Dona Adelaide. Ele trabalha na Livraria Saraiva. Disse-lhe:

— Pois é, Toninho, os editores do Brasil não imprime o que escrevo porque sou pobre e não tenho dinheiro para pagar. Por isso eu vou enviar o meu livro para os Estados Unidos. Ele deu-me varios endereços de editoras que eu devia procurar.

... Vinha pela rua catando os pedaços de ferro que encontrava. Passei na Dona Julita e pedi comida. Ela esquentou comida para mim. A dona Julita deu-me sopa, café e pão. Eu comi lá na Dona Julita. Era treis horas. Fiquei indisposta. Os moveis girando ao meu redor. É que o meu organismo não está habituado com as reconfortantes.

---

39 *Departamento de Ordem Política e Social, encarregado de reprimir manifestações políticas. (N.E.)*

... Preparei a sopa para os filhos. Eles dormiram antes da sopa cosinhar. Quando ficou pronta despertei-lhes para comer. Jantamos e dormimos. Eu sonhei com a Dona Julita. Que havia dito para eu trabalhar para ela que ela pagava-me 4 mil cruzeiros por mês. Disse-lhe que eu ia internar os filhos. E levava só a Vera.

Despertei. Não adormeci mais.

Comecei sentir fome. E quem está com fome não dorme.

Quando Jesus disse para as mulheres de Jerusalem: — "Não chores por mim. Chorae por vós" — suas palavras profetisava o governo do Senhor Juscelino. Penado de agruras para o povo brasileiro. Penado que o pobre há de comer o que encontrar no lixo ou então dormir com fome.

Você já viu um cão quando quer segurar a cauda com a boca e fica rodando sem pegá-la?

É igual o governo do Juscelino!

6 de novembro ... Quando eu cheguei na Dona Julita era 8 e meia. Ela deu-me café. A Vera começou a dizer que gostava de residir numa casa igual a da Dona Julita. Ela fez o almoço. E eu almocei. A Vera comia e dizia:

— Que comida gostosa!

A comida da Dona Julita me deixa tonta.

... Findo o serviço ela deu-me sabão, queijo, gordura e arroz. Aquele arroz agulha. O arroz das pessoas de posses.

8 de novembro ... Fui fazer compras no japonês. Comprei um quilo e meio de feijão, 2 de arroz e meio de açucar, 1 sabão. Mandei somar. 100 cruzeiros. O açucar aumentou. A palavra da moda, agora, é aumentou. Aumentou!

Isto me faz lembrar esta quadrinha que o Roque fez e deu-me para eu incluir no meu repertorio poetico e dizer que é minha:

Politico quando candidato
Promete qua dá aumento
E o povo vê que de fato
Aumenta o seu sofrimento!

... Eu fui buscar o guarda-roupa velho. Quando cheguei para pegar o guarda-roupa, uma jovem que reside lá auxiliou-me a descer o guarda-roupa e deu-me um colchão.

Eu não conseguia travar o guarda-roupa no carrinho. O João já estava começando a ficar nervoso. Disse:

— Maldita hora que eu vim buscar este guarda-roupa!

O dono da loja de sapatos auxiliou-me a por o guarda-roupa no carrinho. Caiu porque o carrinho deslisou-se. Tinha uns homens da Light trabalhando. Surgiu um e deu-me uma corda. Comecei a amarrar. Mas não conseguia. Começou afluir pessoas para ver-me. O João ficou nervoso com os olhares. Eu olhava os empregados da Light e pensava: no Brasil não tem homens! Se tivesse ageitava isto aqui para mim. Eu devia ter nascido no Inferno!

Eu puis o colchão dentro do guarda-roupa. Piorou. Os homens da Light olhavam a minha luta. E eu pensava: para olhar eles prestam. Pensei: eu não vim ao mundo para esperar auxilios de quem quer que seja. Eu tenho vencido tantas coisas sosinha, hei de vencer isto aqui! Hei de ageitar este guarda-roupa. Não estava pensando nos homens da Light. Eu estava suando e sentia o odor do suor. Assustei quando ouvi uma voz no meu ouvido:

— Deixa, que eu ageito para a senhora.

Pensei: agora vai. Olhei o homem e achei ele bonito. Ele retirou o colchão de dentro do guarda-roupa e pois no carrinho. Depois pois o guarda-roupa por cima para não escorregar. Pegou a corda e amarrou. O João ficou contente e disse:

— Graças ao homem!

... Eu estava chingando o senhor Manoel quando ele chegou. Deu-me boa noite. Disse-lhe:

— Eu estava te chingando. O senhor ouviu?

— Não ouvi.

— Eu estava dizendo aos filhos que eu desejava ser preta.

— E você não é preta?

— Eu sou. Mas eu queria ser destas negras escandalosas para bater e rasgar as tuas roupas.

... Quando ele passa uns dias sem vir aqui, eu fico lhe chingando. Falo: quando ele chegar eu quero expancar-lhe e lhe jogar agua. Quando ele chega eu fico sem ação.

Ele disse-me que quer casar-se comigo. Olho e penso: este homem não serve para mim. Parece um ator que vai entrar em cena. Eu gosto dos homens que pregam pregos, concertam algo em casa.

Mas quando eu estou deitada com ele, acho que ele me serve.

... Fiz arroz e puis agua esquentar para eu tomar banho. Pensei nas palavras da mulher do Policarpo que disse que quando passa perto de mim eu estou fedendo bacalhau. Disse-lhe que eu trabalho muito, que havia carregado mais de 100 quilos de papel. E estava fazendo calor. E o corpo humano não presta.

Quem trabalha como eu tem que feder!

9 de novembro ... Preparei a refeição para os filhos e fui lavar roupas. Quem estava no rio era a Dorça e uma nortista que dizia que a nora estava em trabalho de parto. Há treis dias. E não conseguia hospital. Chamaram a Radio Patrulha para interná-la e ainda não havia dado solução. A velha dizia:

— São Paulo não presta. Se fosse no Norte era só chamar uma mulher, e pronto.

— Mas a senhora não está no Norte. Precisa providenciar hospital para a mulher.

O marido vende na feira. Mas não quer gastar com a esposa porque quer ir para o Norte e está ajuntando dinheiro.

12 de novembro Eu ia sair, mas estou tão desanimada! Lavei as louças, varri o barraco, arrumei as camas. Fiquei horrorisada com tantas pulgas. Quando eu fui pegar agua contei para a

D. Angelina que eu havia sonhado que tinha comprado um terreno muito bonito. Mas eu não queria ir residir lá porque era litoral e eu tinha medo dos filhos cair no mar.

Ela disse-me que só mesmo no sonho é que podemos comprar terrenos. No sonho eu via as palmeiras inclinando-se para o mar. Que bonito! A coisa mais linda é o sonho.

Achei graça nas palavras da D. Angelina, que disse-me a verdade. O povo brasileiro só é feliz quando está dormindo.

14 de novembro Deixei o leito às 5 horas e fui pegar agua. Era só homens que estavam na torneira. Ninguem falava. Enchiam as vasilhas e saíam. Pensei: se fosse mulheres...

15 de novembro O dia surgiu claro para todos. Porque hoje não tem fumaça das fabricas para deixar o céu cinzento.

17 de novembro ... A I. e a C. estão começando a prostituir-se. Com os jovens de 16 anos. É uma folia. Mais de 20 homens atrás delas.

Tem um mocinho que mora na Rua do Porto. É amarelo e magro. Parece um esqueleto ambulante. A mãe lhe obriga a ficar só na cama, porque ele é doente e cança atoa. Ele sai com a mãe só para pedir esmola, porque o seu aspecto comove.

Aquele filho amarelo é o seu ganha pão.

Mas até ele anda atrás da I. e da C. Apareceu tantos jovens de 15 e 16 anos aqui na favela, que vou dar parte as autoridades.

... Vi as moças da Fabrica de Doces, tão limpinhas. A I. e a C. podiam trabalhar. Ainda não tem 18 anos. São infelizes que iniciam a vida no lodo.

... Hoje eu estou triste. Deus devia dar uma alma alegre para o poeta.

... A Pitita saiu correndo e o seu esposo atrás. As crianças olham estas cenas com deleite. A Pitita estava semi-nua. E as partes que a mulher deve ocultar estava visivel. Ela correu, parou e pegou uma pedra. Jogou no Joaquim. Ele desviou-se e a pedra pegou na parede, por cima da cabeça da Teresinha. Pensei: esta nasceu de novo!

A Francisca começou dizendo que o Joaquim não prestava. Que é homem só para fazer filho. (...) A Leila gritou que a Pitita estava brigando com o Joaquim porque ele está dormindo com a I.

A I. está sendo disputada na favela. Ela abandonou o esposo. (...) A Leila numa briga é como a gasolina no fogo. Ela instiga e substitui a aranha com a sua teia.

... Quando a Pitita briga, todos saem para ver. É um espetáculo pornografico. (...) As crianças começaram a falar que a Pitita havia erguido o vestido. Eu vim para dentro de casa. Eu já estava deitada e ouvia a voz da Pitita.

A tarde na favela foi de amargar. E assim as crianças ficaram sabendo que os homens fazem... com as mulheres.

Estas coisas eles não olvidam. Tenho dó destas crianças que vivem no Quarto de Despejo mais imundo que há no mundo.

20 de novembro ... Olhei o céu. Parece que vamos ter chuva. Levantei, tomei café e fui varrer o barraco. Vi as mulheres olhando na direção do rio. Fui ver o que era. Eu estava com umas cebolas que a Juana do Binidito deu-me porque eu dei-lhe uns tomates. Mandei a Vera guardar os tomates e fui perguntar as mulheres o que havia no rio.

— É uma criança que não pode sair do rio.

Fui ver. Pensei: se for criança eu vou atravessar o Tietê para retirá-la e se for preciso nadar eu entro na agua.

Corri para ver o que era. Era um jacá de queijo que flutuava. Voltei e fui escrever.

21 de novembro ... Vi varias pessoas no barraco da Leila. Fui ver o que havia. Perguntei para a D. Camila o que houve.

— É a menina que morreu.

— De que foi que morreu a menina?

— Não sei.

... O sono surgiu. Eu deitei. Despertei com um bate-fundo perto da minha janela. Era a Ida e a Analia. A briga começou lá na Leila. Elas não respeitam nem a extinta. O Joaquim intervio pedindo para respeitar o corpo. Elas foram brigar na rua.

... Hoje de manhã eu disse para o Seu Joaquim Purtuguês que a filha da D. Mariquinha não sabia ler. Ele disse:

— F... elas aprendem. E aprendem sem professor.

Eu dei uma risada e disse:

— Purtuguês não presta!

Da minha janela eu vejo a filha da Leila no seu esquife. O diabo é que lá não há respeito no velorio. Parece até uma festa.

... O luar está maravilhoso. A noite tepida. Por isso o favelado está agitado. Uns tocam sanfona, outros cantam. Já rezaram um terço para a filha da Leila.

O esquife é branco. Eu vou deitar. O barulho é muito, mas eu vou deitar.

Aqui tudo é motivo para farra.

22 de novembro Deixei o leito as 5 horas e fui carregar agua. Olhei o barraco da Leila. Vi o José do Pinho no meio das vagabundas. Pensei: um moço tão bonito...

No terreiro todos queixavam que o velorio da filha da Leila foi de amargar. Que andaram a noite toda e não deixaram ninguem dormir.

... Chegou o carro para levar a filha da Leila. Ela começou chorar. Assim que a criança saiu a Leila foi beber.

O que eu fico admirada é das almas da favela. Bebem porque estão alegres. E bebem porque estão tristes.

A bebida aqui é o paliativo. Nas epocas funestas e nas alegrias.

23 de novembro ... Preparei uns ferros para ir vender no deposito de ferro velho. Dei duas viagens. Ganhei 178 cruzeiros. Telefonei para as *Folhas*[40] para mandar uns reporteres na favela para expulsar uns ciganos que estão acampados aqui. Eles jogam excrementos na rua. As pessoas que reside perto dos ciganos estão queixando que eles falam a noite toda. E não deixam ninguem dormir. Eles são violentos e os favelados tem medo deles. Mas eu já preveni que comigo a sopa é mais grossa.

Devido as mocinhas ficar nuas, os vagabundos ficam sentados perto do barracão, observando-as. O diabo é que se alguem agredi-las os ciganos revoltam. Mas a nudez delas excita. Parece que já estou vendo um bate-fundo de cigano com favelado.

Mil vezes os nossos vagabundos do que os ciganos.

26 de novembro ... Fui pegar agua. Olhei o local onde os ciganos acamparam. Eles ficaram só treis dias. Mas foi o bastante para nos aborrecer. Eles são nojentos. O local onde eles acamparam está sujo e exala mau cheiro. Um odor desconhecido.

27 de novembro ... Eu estou contente com os meus filhos alfabetizados. Compreendem tudo. O José Carlos disse-me que vai ser um homem distinto e que eu vou trata-lo de Seu José.

Já tem pretensões: quer residir em alvenaria.

... Eu fui retirar os papelões. Ganhei 55 cruzeiros. Quando eu retornava para a favela encontrei com uma senhora que se queixava porque foi despejada pela Prefeitura.

Como é horrivel ouvir um pobre lamentando-se. A voz do pobre não tem poesia.

Para reanimá-la eu disse-lhe que havia lido na Biblia que Deus disse que vai concertar o mundo. Ela ficou alegre e perguntou-me:

— Quando vai ser isto, Dona Carolina? Que bom! E eu que já queria me suicidar!

---

40 *Referência ao grupo de jornais* Folha, *na época formado por* Folha da Noite, Folha da Manhã *e* Folha da Tarde. *(N.E.)*

Disse-lhe para ela ter paciencia e esperar que Jesus Cristo vem ao mundo para julgar os bons e os maus.

— Ah! então eu vou esperar.

Ela sorriu.

... Despedi-me da mulher, que já estava mais animada. Parei para concertar o saco que deslisava da minha cabeça. Contemplei a paisagem. Vi as flores roxas. A cor da agrura que está nos corações dos brasileiros famintos.

28 de novembro Fui carregar agua. Não tinha ninguem. Só eu e a filha do T., a mulher que fica gravida e ninguem sabe quem é o pai de seus filhos. Ela diz que os seus filhos são filhos de seu pai.

29 de novembro ... Era 11 horas quando eu fui deitar. Ouvi vozes alteradas. Era 2 mulheres brigando. Ouvi a voz do Lalau. É que ele já saiu da cadeia. Já faz 3 dias que ele estava preso por causa do pato do Paulo. Acho que o Lalau nunca mais há de querer pato dos visinhos.

30 de novembro ... Vi um menino mechendo no pé. Fui ver o que havia. Era um espinho. Retirei um alfinete do vestido e tirei o espinho do pé do menino. Ele foi mostrar o espinho para o seu pai.

O menino olhou-me. Que olhar! Pensei: arranjei mais um amiguinho.

5 de dezembro ... A Leila contou-me que a filha da Dona D. está presa, porque o seu esposo lhe pegou em adulterio com um baiano que tem dois dentes de ouro.

... Hoje eu estou estreando um radio. Toquei o radio até as 12. Ouvi os programas de tango. O Orlando ligou a luz. Agora tenho de pagar 75 cruzeiros por mês, porque ele cobra 25 por bico.

6 de dezembro Deixei o leito as 4 da manhã. Liguei o radio para ouvir o amanhecer do tango.

... Eu fiquei horrorisada quando ouvi as crianças comentando que o filho do senhor Joaquim foi na escola embriagado. É que o menino está com 12 anos.

Eu hoje estou muito triste.

8 de dezembro ... De manhã o padre veio dizer missa. Ontem ele veio com o carro capela e disse aos favelados que eles precisam ter filhos. Penso: porque há de ser o pobre quem há de ter filhos — se filhos de pobre tem que ser operario?

Na minha fraca opinião quem deve ter filhos são os ricos, que podem dar alvenaria para os filhos. E eles podem comer o que desejam.

Quando o carro capela vem na favela surge varios debates sobre a religião. As mulheres dizia que o padre disse-lhes que podem ter filhos e quando precisar de pão podem ir buscar na igreja.

Para o senhor vigario, os filhos de pobres criam só com pão. Não vestem e não calçam.

11 de dezembro ... Começei queixar para a Dona Maria das Coelhas que o que eu ganho não dá para tratar os meus filhos. Eles não tem roupas nem o que calçar. E eu não paro um minuto. Cato tudo que se pode vender e a miseria continua firme ao meu lado.

Ela disse-me que já está com nojo da vida. Ouvi seus lamentos em silêncio. E disse-lhe:

— Nós já estamos predestinados a morrer de fome!

13 de dezembro ... A nortista começou queixar-se que os seus filhos vão voltar para o interior porque não encontram serviço aqui em São Paulo. Vão colher algodão. Fiquei com dó da nortista. Eu já colhi algodão. Fiquei com dó da nortista.

14 de dezembro ... De manhã teve missa. O padre disse para nós não beber, porque o homem que bebe não sabe o que faz. Que devemos beber limonada e agua. Varias pessoas veio assistir a missa. Ele disse que sente prazer de estar entre nós.

Mas se o padre residisse entre nós, havia de expressar de outra forma.

16 de dezembro ... Quando eu estava conversando com o senhor Venancio presenciei uma cena repugnante. A mulher daquele mulato que mora de frente ao Sr. A. namorando o João Nortista. Aquele que tem dois dentes de ouro.

18 de dezembro ... Eu estava escrevendo. Ela perguntou-me:

— Dona Carolina, eu estou neste livro? Deixa eu ver!

— Não. Quem vai ler isto é o senhor Audálio Dantas, que vai publicá-lo.

— E porque é que eu estou nisto?

— Você está aqui por que naquele dia que o Armim brigou com você e começou a bater-te, você saiu correndo nua para a rua.

Ela não gostou e disse-me:

— O que é que a senhora ganha com isto?

... Resolvi entrar para dentro de casa. Olhei o céu com suas nuvens negras que estavam prestes a transformar-se em chuva.

19 de dezembro Amanheci com dor de barriga e vomitando. Doente e sem ter nada para comer. Eu mandei o João no ferro velho vender um pouco de estopa e uns ferros.

Ele ganhou 23 cruzeiros. Não dava nem para fazer uma sopa. (...) Que suplicio adoecer aqui na favela! Pensei: hoje é o meu ultimo dia em cima da terra.

... Percebi que havia melhorado. Sentei na cama e comecei catar pulgas. A ideia da morte já ia se afastando. E eu comecei a fazer planos para o futuro.

Hoje eu não saí para catar papel. Seja o que Deus quiser.

20 de dezembro ... Dizem os velhos que no fim do mundo a vida ia ficar insipida. Creio que é historia, porque a Natureza ainda continua nos dando de tudo.

Temos as estrelas que brilham. Temos o sol que nos aquece. As chuvas que cai do alto para nos dar o pão de cada dia.

... Eu preparava para deitar quando surgiu a Duca, que pediu-me para eu dar parte do senhor Manoel, porque ele comprou uma televisão e a televisão captava toda a força eletrica e deixava a favela sem luz. Equivoco. A televisão não estava ligada. Coisa que nunca hei de fazer é difamar o senhor Manoel. É o homem mais distinto da favela. Ele está aqui já faz 9 anos. Sai de casa e vai para o trabalho. Não falta ao serviço. Nunca brigou com ninguem. Nunca foi preso. Ele é o homem mais bem remunerado da favela. Trabalha para o Conde Francisco Matarazzo[41].

24 de dezembro ... Hoje estou com sorte. Tem muitos papeis na rua. (...) As 5 horas comecei vestir-me para eu ir no Centro

---

41 *O imigrante italiano Francisco Matarazzo foi um dos pioneiros da industrialização no país e criador de um dos maiores complexos fabris da América Latina.* (N.E.)

Espirita Divino Mestre receber os donativos natalinos. Preparei os filhos e saí. (...) Eu ouvi vozes:

— Estão dando cartões!

Corri para ver. Vi os favelados rodeando um carro. E o povo correndo para ganhar cartões. No carro estava apenas o motorista. E o povo pedia:

— Dá um para mim. Dá um para mim!

O motorista dizia:

— Vocês sujam o carro!

Perguntei-lhe:

— O que é que o senhor está distribuindo?

— Eu vim aqui trazer um homem. Nem sei o que este povo está pedindo.

— É que na epoca de Natal, quando vem um automovel aqui, eles pensam que vieram dar presentes.

— Nunca mais hei de vir aqui no Natal — disse o motorista nos olhando com repugnancia.

Havia tantas pessoas ao redor do automovel que não pude anotar a placa.

... No centro Espirita a fila já estava enorme quando nós chegamos. (...) Os 10 filhos de uma nortista estavam pedindo pão. A Dona Maria Preta deu 15 cruzeiros para ela. Ela foi comprar pão.

O senhor Pinheiro, dignissimo presidente do Centro Espirita, saiu para conversar com os indigentes. (...) Passou um senhor, parou e nos olhou. E disse perceptivel:

— Será que este povo é deste mundo?

Eu achei graça e respondi:

— Nós somos feios e mal vestidos, mas somos deste mundo.

Passei o olhar naquele povo para ver se apresentava aspecto humano ou aspecto de fantasma. O homem seguiu sorrindo. E eu fiquei analisando. Quando penetramos para receber os premios, o meu numero era 90. Eu e os demais ganhamos presentes e generos: roupas, chá mate, batatas, arroz e feijão. O senhor Pinheiro convidou-me para eu ir no Centro.

Era 9 e meia quando nós chegamos no ponto do bonde e fomos ver um presepio que fizeram na garagem que está vaga. Havia uma placa onde se lia: Entrada gratis. Mas no presepio tinha uma bandeja com cedula de 1 a 100. Quando saí elogiei o presepio. Unica coisa que eu posso fazer.

Quando cheguei na favela encontrei a porta aberta. O luar está maravilhoso.

25 de dezembro ... O João entrou dizendo que estava com dor de barriga. Percebi que foi por ele ter comido melancia deturpada. Hoje jogaram um caminhão de melancia perto do rio.

Não sei porque é que estes comerciantes inconscientes vem jogar seus produtos deteriorados aqui perto da favela, para as crianças ver e comer.

... Na minha opinião os atacadistas de São Paulo estão se divertindo com o povo igual os Cesar quando torturava os cristãos. Só que o Cesar da atualidade supera o Cesar do passado. Os outros era perseguido pela fé. E nós, pela fome!

Naquela epoca, os que não queriam morrer deixavam de amar a Cristo.

Mas nós não podemos deixar de comer.

26 de dezembro ... Aquela senhora que reside na rua Paulino Guimarães, numero 308 deu uma boneca para a Vera. Nós iamos passando quando ela chamou a Vera e disse-lhe para esperar. A Vera disse-me:

— Acho que vou ganhar uma boneca.

Respondi:

— E eu acho que vamos ganhar pão.

Eu notava a sua anciedade e curiosidade de saber o que ia ganhar. A senhora saiu do interior da casa com a boneca.

A Vera disse-me:

— Eu não disse! Eu acertei!

E foi correndo pegar a boneca. Pegou a boneca e voltou correndo para mostrar-me. Ela agradeceu e disse que as meninas da favela iam ficar com inveja. E que ela ia rezar todos os dias para a mulher ser feliz. Que ela vai ensinar a boneca a rezar. E vai levá-la na missa para ela rezar para a mulher ir para o céu e não ter doença que dói muito.

27 de dezembro ... Eu cancei de escrever, adormeci. Despertei com uma voz chamando Dona Maria. Fiquei quieta, porque não sou Maria. A voz dizia:

— Ela disse que mora no numero 9.

Levantei de mau humor e fui atender. Era o senhor Dario. Um senhor que eu fiquei conhecendo na eleição. Eu mandei o senhor Dario entrar. Mas fiquei com vergonha. O vaso noturno estava cheio.

... O senhor Dario ficou horrorizado com a primitividade em que eu vivo. Ele olhava tudo com assombro. Mas ele deve aprender que a favela é o quarto de despejo de São Paulo. E que eu sou uma despejada.

28 de dezembro ... Eu acendi o fogo puis agua para esquentar e comecei lavar as louças e vasculhar as paredes. Encontrei um rato morto. Já faz dias que eu ando atrás dele. Armei a ratoeira. Mas quem matou ele foi uma gata preta. Ela é do senhor Antonio Sapateiro.

O gato é um sabio. Não tem amor profundo e não deixa ninguem escravisá-lo. E quando vai embora não retorna, provando que tem opinião.

Se faço esta narração do gato é porque fiquei contente dela ter matado o rato que estava estragando os meus livros.

29 de dezembro Saí com o João e a Vera e o José Carlos. O João levou o radio para concertar. Quando eu ia na rua Pedro Vicente, o guarda do deposito chamou-me e disse-me para eu ir buscar uns sacos de papel que estavam perto do rio.

Agradeci e fui ver os sacos. Eram sacos de arroz que estavam nos armazens e apodreceram. Mandaram jogar fora. Fiquei horrorizada vendo o arroz podre. Contemplei as traças que circulavam, as baratas e os ratos que corriam de um lado para outro.

Pensei: porque é que o homem branco é tão perverso assim? Ele tem dinheiro, compra e põe nos armazens. Fica brincando com o povo igual gato com rato.

30 de dezembro ... Quando eu fui lavar as roupas encontrei com algumas mulheres que estavam comentando a coragem da Maria, companheira do baiano. Que se separaram e ela foi viver com outro baiano, seu visinho.

A lingua das mulheres é um pavio. Fica incendiando.

31 de dezembro ... Eu passei a tarde escrevendo. Os meus filhos estavam jogando bola perto dos barracões. Os visinhos começaram a reclamar. Quando é os filhos deles que brinca eu não digo nada. Eu não implico com as crianças, porque eu não tenho vidraça e a bola não estraga as paredes de tabuas.

... O José Carlos e o João estavam jogando bola. A bola do Tonico. A bola caiu no quintal do Vitor. E a mulher do Vitor furou a bola do menino. E os meninos começaram a chingar. Ela pegou um revolver e correu atrás dos meninos.

E se o revolver disparasse!

... Eu não vou deitar. Quero ouvir a corrida de São Silvestre. Eu fui na casa de um cigano que reside aqui. Condoeu-me vê-los dormindo no solo. Disse-lhe para vir no meu barracão a noite que eu ia dar-lhe duas camas. Se ele fosse durante o dia as mulheres iam transmitindo a novidade, porque aqui tudo é novidade.

Quando a noite surgiu, ele veio. Disse que quer estabelecer, porque quer por os filhos na escola. Que ele é viuvo e gosta muito de mim. Se eu quero viver ou casar com ele.

Abraçou-me e beijou-me. Contemplei a sua boca adornada de ouro e platina. Trocamos presentes. Eu dei-lhe doces e roupas para os seus filhos e ele deu-me pimenta e perfumes. A nossa palestra foi sobre arte e musica.

Disse-me que se eu casar com ele que retira-me da favela. Disse-lhe que não me adapto a andar nas caravanas. Ele disse-me que é poetica a existencia andarilha.

Ele disse-me que o amor de cigano é imenso igual o mar. É quente igual o sol.

Era só o que me faltava. Depois de velha virar cigana. Entre eu e o cigano existe uma atração espiritual. Ele não queria sair do meu barraco. E se eu pudesse não lhe deixava sair. Convidei-lhe para vir ouvir o radio. Ele perguntou-me se sou sozinha. Respondi-lhe que eu tenho uma vida confusa igual um quebra-cabeça. Ele gosta de ler. Dei-lhe livros para ele ler.

Fui ver o aspecto do barracão. Ficou mais agradavel depois que ele armou as camas. O João foi chamar-me, dizendo que eu estava demorando.

A favela está agitada. Os favelados demonstram jubilo porque findaram um ano de vida.

Hoje uma nortista foi para o hospital ter filhos e a criança nasceu morta. Ela está tomando soro. A sua mãe está chorando, porque ela é filha unica.

Tem baile na casa do Vitor.

1 de janeiro de 1959 Deixei o leito as 4 horas e fui carregar agua. Fui lavar as roupas. Não fiz almoço. Não tem arroz. A tarde vou fazer feijão com macarrão. (...) Os filhos não comeram nada. Eu vou deitar porque estou com sono. Era 9 horas, o João despertou-me para abrir a porta. Hoje eu estou triste.

4 de janeiro ... Antigamente eu cantava. Agora deixei de cantar, porque a alegria afastou-se para dar lugar a tristeza que envelhece o coração. Todos os dias aparece um pobre coitado aqui na favela, encosta num parente e vão vivendo. O Ireno é um coitado que está com anemia. Procura a esposa. A esposa não lhe quer. (...) Ele disse-me que a sua sogra instiga a esposa contra ele. Agora ele está na casa do irmão. Ele foi passar uns dias na casa da irmã. Retornou-se. Disse-me que lhe jogavam indiretas por causa da comida.

O Ireno disse que já está descontente da vida. Porque a vida com saude já é tão pungente...

5 de janeiro ... Está chovendo. Fiquei quase louca com as goteiras nas camas, porque o telhado é coberto com papelões e os papelões já apodreceram. As aguas estão aumentando e invadindo os quintais dos favelados.

6 de janeiro Deixei o leito as 4 horas, liguei o radio e fui carregar agua. Que suplicio entrar na agua de manhã. E eu que sou frienta! Mas a vida é assim mesmo. Os homens estão saindo para o trabalho. Levam as meias e os sapatos nas mãos. As mães prendem as crianças em casa. Elas ficam ansiosas para ir brincar na agua. As pessoas de espirito jocoso dizem que a favela é a cidade nautica. Outros dizem que é a Veneza Paulista.

... Eu estava escrevendo quando o filho do cigano veio dizer-me que o seu pai estava chamando-me. Fui ver o que ele queria. Começou queixar-se que encontra dificuldades para viver aqui em São Paulo. Sai para procurar emprego e não encontra.

Disse que vai voltar para o Rio, porque lá é melhor para viver. Eu disse-lhe que aqui ganha-se mais dinheiro.

— No Rio ganha mais — afirmou — Lá eu benzia crianças, vendia carne e ganhava muito dinheiro.

Percebi que o cigano quando conversa com uma pessoa, fala horas e horas. Até a pessoa oferecer dinheiro. Não é vantagem ter amisade com cigano.

... Quando eu ia sair, ele disse-me para eu ficar. Saí e fui no emporio. Comprei arroz, café e sabão. Depois fui no Açougue Bom Jardim comprar carne. Cheguei no açougue, a caixa olhou-me com um olhar descontente.

— Tem banha?

— Não tem.

— Tem carne?

— Não tem.

Entrou um japonês e perguntou:

— Tem banha?

Ela esperou eu sair para dizer-lhe:

— Tem.

Voltei para a favela furiosa. Então o dinheiro do favelado não tem valor? Pensei: hoje eu vou escrever e vou chingar a caixa desgraçada do Açougue Bom Jardim.

Ordinaria!

7 de janeiro ... Hoje eu fiz arroz e feijão e fritei ovos. Que alegria! Ao escrever isto vão pensar que no Brasil não há o que comer. Nós temos. Só que os preços nos impossibilita de adquirir. Temos bacalhau nas vendas que ficam anos e anos a espera de compradores. As moscas sujam o bacalhau. Então o bacalhau apodrece e os atacadistas jogam no lixo, e jogam creolina para o pobre não catar e comer. Os meus filhos nunca comeu bacalhau. Eles pedem:

— Compra, mamãe!

Mas comprar como! a 180 o quilo. Espero, se Deus ajudar-me, antes deu morrer hei de comprar bacalhau para eles.

8 de janeiro ... Encontrei com o motorista que veio despejar a serragem aqui na favela. Convidou-me para entrar no caminhão. O motorista loiro perguntou-me se aqui na favela é facil arranjar mulher. E se ele podia ir no meu barracão. O motorista disse-me que ele ainda estava em forma. O ajudante dizia que o motorista já havia aposentado.

Despedi do motorista e voltei para a favela. Acendi o fogo, lavei as mãos e comecei fazer comida para os filhos.

10 de janeiro ... O senhor Manoel veio. Era 8 horas. Perguntou-me se eu ainda converso com o cigano. Respondi que sim. Que ele tem terreno em Osasco e que se acabar a favela e eu não tiver onde ir, poderei ir para o seu terreno. Que ele admira a minha disposição e se pudesse vivia ao meu lado.

O senhor Manoel zangou-se e disse-me que não retorna mais. Que eu posso ficar com o cigano.

O que eu admiro no cigano é a calma e a compreensão. Coisa que o senhor Manoel não possue. (...) O senhor Manoel disse-me que não mais aparece. Vamos ver.

11 de janeiro ... Não estou gostando do meu estado espiritual. Não gosto da minha mente inquieta. O cigano está perturbando-me. Mas eu vou dominar esta simpatia. Já percebi que ele quando me vê fica alegre. E eu tambem. Eu tenho a impressão que eu sou um pé de sapato e que só agora é que encontrei o outro pé.

Ouvi falar varias coisas dos ciganos. E ele não tem as más qualidades que propalam. Parece que este cigano quer hospedar-se no meu coração.

No inicio receei a sua amisade. E agora, se ela medrar para mim será um prazer. Se regridir, eu vou sofrer. Se eu pudesse ligar-me a ele!

Ele tem dois filhos. O menino acompanha-me sempre. Se eu vou lavar roupas, ele vai comigo, senta ao meu lado. Os meninos da favela tem inveja quando me vê agradando o menino. Agradando o filho, hei de conseguir o pai.

O nome do cigano é Raimundo. Nasceu na capital da Bahia. Mas não usa peixeira. Ele parece o Castro Alves. Suas sobrancelhas unem-se.

12 de janeiro ... Fiz a janta. E dei jantar as crianças. A Rosalina surgiu. Veio buscar um pouco de feijão. Eu dei.

O senhor Raimundo chegou. Veio chamar os filhos. Olhou as crianças jantando. Eu lhe ofereci jantar. Ele não quiz. Pegou uma sardinha e perguntou se tinha pimenta. Não ponho pimenta na comida por causa das crianças.

Pensei: se eu estivesse sozinha dava-lhe um abraço. Que emoção que eu sentia vendo-o ao meu lado. Pensei: se algum dia eu for exilada e este homem indo na minha companhia, ele há de suavizar o castigo.

Mandei a Rosalina comer sardinha. Dei-lhe o feijão. O Raimundo disse-me que vai embora para a sua casa. E que se um dia a favela acabar, para eu procurá-lo. Fez o mesmo convite a Rosalina. Eu não apreciei. Não foi egoismo. Foi ciume. Ele saiu e eu fiquei pensando. Ele não estaciona. É o seu sangue cigano. Pensei: se algum dia este homem for meu, hei de prendê-lo ao meu lado. Quero apresentar-lhe o mundo de outra forma.

14 de janeiro ... Circulei pelas ruas. Fui na Dona Julita. Fui na Cruz Azul receber o dinheiro das latas. Cheguei em casa antes da chuva. O senhor Raimundo mandou sua filha chamar-me. Troquei-me e fui atendê-lo. Ele disse-me que vai para Volta Redonda. Creio que vou sentir saudades. (...) Despedi-me dele dizendo que precisava escrever e que não podia demorar.

15 de janeiro ... Deixei o leito as 4 horas e fui carregar agua. Liguei o radio para ouvir o programa de tango.

... O senhor Manoel disse que não vinha mais e apareceu. Ele penetrou na agua para chegar até o meu barracão. Resfriou-se.

Hoje eu estou contente. Ganhei dinheiro. Contei até 300! Hoje eu vou comprar carne. Atualmente quando o pobre come carne fica rindo atoa.

16 de janeiro ... Fui no Correio retirar os cadernos que retornaram dos Estados Unidos. (...) Cheguei na favela. Triste como se tivessem mutilado os meus membros. O *The Reader Digest* devolvia os originais. A *pior bofetada* para quem escreve é a devolução de sua obra.

Para dissipar a tristeza que estava arroxeando a minha alma, eu fui falar com o cigano. Peguei os cadernos e o tinteiro e fui lá. Disse-lhe que tinha retirado os originais do Correio e estava com vontade de queimar os cadernos.

Ele começou citar as suas aventuras. Disse que vai para Volta Redonda. E vai ficar na casa da jovem de 14 anos que está com ele. Se a menina saía para brincar, ele ia procurá-la, olhando-lhe com cuidados. Eu não apreciava os seus olhares com a jovem. Pensei: o que será que ele quer com esta jovem?

Os meus filhos entravam dentro do barracão. Ele estava deitado no assoalho. Eu perguntei-lhe se usava peixeira.

— Não. Prefiro um bom revolver como este.

Mostrou-me um revolver 32. Eu não simpatiso com revolver. Deu o revolver ao João para segurar. Disse-lhe:

— Você é homem. E o homem precisa aprender lidar com essas coisas.

Recomendou-lhe para não dizer nada a ninguem, que ele não quer que o povo da favela saiba que ele tem revolver.

— Eu mostro para a sua mãe porque ela gosta de mim. E mulher quando gosta de um homem não lhe denuncia. Quando eu era soldado eu comprei este revolver.

— O senhor já foi soldado?

— Já. Na Bahia. Deixei a farda porque ganhava muito pouco.

Mostrou-me o seu retrato fardado. Quando eu ia levantando-me para sair, ele dizia:

— É cedo!

Ele mandou fazer café. A mocinha disse que não tinha açucar. Eu mandei o João buscar o açucar e manteiga. Ele mandou o seu filho comprar 6 cruzeiros de pão. Disse:

— Eu nunca comi sem carne. Nunca comi pão sem manteiga. E aqui neste barracão eu comi. Este barracão deu-me peso.

O seu filho retornou-se com o pão. O José Carlos entrou e começou a brigar com o seu filho. Ele disse para eles não brigar, que todos somos irmãos. O José Carlos protestou-se:

— Eu não sou irmão dele não!

— Vocês são irmãos por parte de Adão e Eva.

Ele segurou o José Carlos nos braços, obrigando a deitar-se ao seu lado no assoalho. O José Carlos desvencilhou-se e saiu para a rua.

Eu puis o olhar no caderno e comecei a escrever. Quando ergui a cabeça o seu olhar estava pousado no rosto da mocinha. Não gostei do seu olhar histerico.

... O meu pensamento começou a desvendar a sordidez do cigano. Ele tira proveito da sua beleza. Sabe que as mulheres se ilude com rostos bonitos. Ele atrai as mocinhas dizendo que casa com elas. Satisfaz seus desejos e depois manda elas ir embora. (...) Agora eu compreendia os seus olhares com a mocinha. Isto me serve de advertencia. Nunca hei de deixar a Vera na casa de quem quer que seja.

Olhei o rosto do cigano. O rosto bonito. Mas fiquei com nojo. Era um rosto de anjo com alma de diabo. (...) Vim para o meu barraco. Eu estava pondo os cadernos em cima da mesa, quando senti que alguem me pegava pelas costas. Era o cigano que me abraçava. Beijou-me na boca. Os seus braços me apertavam tanto. Disse-me:

— Eu vou-me embora. Deixo as minhas roupas. Você lave-as para mim. Quando eu voltar dou-te uma maquina de costura. Eu não faço conta de dinheiro. Sei que você vai pensar em mim e sei que você vai sentir falta de mim. Sei que vou ser hospede do teu coração. E você ainda vai ter oportunidade de dormir nos meus braços.

Enquanto ele me abraçava, eu pensava: este diabo devia estar era na cadeia. Eu sentei na cama, ele sentou-se ao meu lado. Eu fechei a janela e continuamos beijando-nos. O meu carinho representava interesse para descobrir suas atividades. Ele disse-me:

— Eu venho dormir aqui. Nós dois dormimos nesta cama e a minha irmã dorme no quartinho.

— Eu não durmo com ninguem perto dos meus filhos.

Ele olhou-me e disse-me:

— Você é boba. As crianças quando deitam dormem logo.

Ele saíu. Estava preocupado com a mocinha que ele dizia que era sua irmã, não querendo perdê-la de vista. Percebi que ele já está habituado a seduzir as mocinhas.

Ele vivia mechendo com elas. Estava interessado na Dirce. Ele não conseguio a Dirce porque ela não lhe viu de perto. Porque a sua beleza é igual o mel atraindo as abelhas.

Ele prometeu voltar. Quero apresentá-lo a Dona Lei. Eu fui chamar o José Carlos. O cigano estava na janela. A Pitita aproximou-se e disse-lhe:

— Você é muito bonito, mas parece que não gosta disso!

Ela ergueu o vestido. Ela estava sem calça!

As crianças olharam e ficaram serias. O unico que sorriu foi o cigano. (...) Fiz a janta e fui procurar a Vera. Ela estava lá no emporio com o cigano, que comprou doces e mortadela para os seus filhos e os meus filhos. Mandou o José Carlos dizer que não vinha dormir aqui. Fiquei contente.

O senhor Manoel chegou. Percebeu que eu estava nervosa. Foi-se embora. Eu deitei nervosa com o José Carlos, que ainda estava na rua. Dormi até meia-noite. Despertei, pensei no filho que ainda estava na rua. Hoje eu estou descontente. O José Carlos chegou. Eu disse-lhe que não ia abrir-lhe a porta. Que dormisse na rua. Ele sentou-se nos degraus. Depois começou a chorar. Resolvi abrir-lhe a porta. Era 2 horas. Dei-lhe banho, esquentei comida para ele, ele foi deitar-se. Eu não adormeci porque estava supernervosa. Estou decidida: quando o cigano voltar, hei de apresentá-lo a Dona Lei. Dizem que cigano não pode ficar parado. Mas a Dona Lei há de fazer ele estacionar uma temporada atrás das grades. Ele há de ter tempo para pensar e repensar no que disse-me:

— Você é boba!

Ele prometeu trazer-me um presente. E eu prometo dar-lhe um: a masmorra.

17 de janeiro Deixei o leito as 4 horas, quando ouvi o radio do visinho tocando. Comecei escrever. Liguei o radio para ouvir o amanhecer do tango. Despertei pensando no cigano, que é pior do que o negro. Não aconselho ninguem a fazer amizade com eles.

Acendi o fogo, lavei as louças e fui carregar agua. (...) Encontrei com o senhor Adelino, perguntei pelo cigano.

— Ele brigou com o meu cunhado. Ele dizia que é baiano e o meu cunhado respondia. — Quem é baiano sou eu!

... Eu fui na Dona Julita. Ela deu-me comida, eu esquentei e comi. Acabei de comer, fiquei triste. É que a comida de lá é muito forte. Sopa, carne e outras iguarias. Quando o pobre come uma comida forte, dá tontura.

A Dona Julita me disse que eu estava triste por causa do cigano.

20 de janeiro Passei o dia na cama. Vomitei bilis e melhorei um pouco. Fui carregar agua. O João ficou contente. Perguntou-me se eu estou melhor. (...) Fiquei com tontura, deitei novamente.

... Os filhos estão com receio de eu morrer. Não me deixam sozinha. Quando um sai, outro vem vigiar-me. Dizem:

— Eu quero ficar perto da senhora, porque quando a morte chegar eu dou uma porretada nela.

Eles estão tão comportados. Ficam confabulando:

— Se ela morrer nós vamos para o Juiz[42].

---

42 *Juizado de Menores. (N.E.)*

O José Carlos perguntou-me se a gente vê a morte chegar. A Vera me mandou cantar.

... O José Carlos foi na feira catar qualquer coisa. Catou milho, tomate e beringelas. Eu almocei, fiquei mais disposta. Quando eu dou um gemido os filhos choram com medo do Juiz. O José Carlos disse-me:

— Sabe, mamãe, quando a morte chegar eu vou pedir para ela deixar nós crescer e depois ela leva a senhora.

... Para tranquilizá-los eu disse que não ia morrer mais. Ficaram alegres e foram brincar. O senhor Manoel chegou. Veio ver se eu melhorei. Fiquei contente com a visita.

3 de fevereiro Tenho de dizer que eu não escrevi nos dias que decorreram porque eu fiquei doente. Vou recapitular o que ocorreu comigo nestes dias. (...) A Fernanda veio e perguntou-me se eu sei onde está o cigano. É a mesma coisa que ela perguntar-me onde é a casa do vento.

Disse que ele é muito bonito e que ela ia lá comprar pimenta só para vê-lo.

Durante os dias que eu estive doente o senhor Manoel não me deixou sem dinheiro.

... O senhor Manoel disse-me que o cigano faz muito bem em seduzir as mocinhas de 14 anos. Elas dá confiança.

Estes dias eu fiz umas poesias:

Não pensas que vais conseguir
o meu afeto novamente
o meu odio vai evoluir
criar raizes e dar semente.

15 de fevereiro Hoje eu estou mais animada. Estou rindo. Achando graça do sururu que houve aqui na favela. Esta noite a Leila começou insultar o baiano senhor Valdomiro. Chingou até as 2 horas. Ele resolveu espancá-la. Foi no seu barracão, arrebentou a porta. Quando a Leila foi saltar prendeu um pé no peitoril da janela.

... Hoje o tal Orlando Lopes veio cobrar a luz. Quer cobrar ferro, 25 cruzeiros. Eu disse-lhe que não passo roupas. Ele disse-me que sabe que eu tenho ferro. Que vai ligar o fio de chumbo na luz e se eu ligar o ferro a luz queima e ele não liga mais. Disse que ligou a luz para mim e não cobrou deposito.

— Mas o deposito já foi abolido desde 1948.

Ele disse que pode cobrar deposito porque a Light deu-lhe plenos poderes. Que ele pode cobrar o que quiser dos favelados.

16 de fevereiro ... Quando eu dirigia-me para casa vi varias pessoas olhando na mesma direção. Pensei: é briga! Corri para ver o que era. Era o Arnaldo e o baiano. O Arnaldo apanhava igual uma criança. Interferi e procurei separá-los. A Juana do Binidito Onça veio auxiliar-me. Varios homens olhavam e ninguem interferia. O baiano deu duas cacetadas no Arnaldo.

... Surgiu o Armim, que disse que ia matar o baiano. Tentei impedi-lo, segurando-lhe o braço. Ele deu-me um empurrão. Eu deixei ele ir, mas gritava:

— Não vai, que o baiano te mata!

Resolvi chamar a Policia. Saí correndo. Creio que corria mais depressa do que o Manoel Faria[43]. Cheguei na 12ª Delegacia gritando: Briga na favela! Estão brigando a foice!

... Eu estava com nojo de retornar a favela. Mas precisava voltar, porque havia deixado os meus filhos.

Quando eu descia para o Inferno, as mulheres dizia:

— A Policia já desceu.

Quando cheguei na favela o povo me olhava. A Dona Sebastiana chingava. Estava embriagada. Dizia que ela degolava o baiano. Eu dizia para ela não chegar, que ela ia morrer. Ela começou a chingar-me:

---

43 *O atleta português Manoel de Faria venceu por duas vezes a Corrida Internacional de São Silvestre, realizada nas ruas de São Paulo no último dia do ano. (N.E.)*

— Negra ordinaria! Você não é advogada, não é reporter e se mete em tudo!

O povo gritava. O baiano fugiu.

... Surgiu o Antonio, vulgo Bonitão. Pediu-me se eu tinha uma calça para emprestar-lhe, porque ele havia molhado quando saiu correndo atrás do baiano. (...) Comecei a procurar a calça para o Bonitão. Dei-lhe a calça e saí. Fui no barraco do Arnaldo perguntar se ele havia retornado da Central, porque ele e o Armim havia ido na Assistência.

23 de fevereiro Na rua o povo perguntava o que houve na favela. Eu explicava. (...) Eu estava impaciente porque não sabia o paradeiro do baiano. Eu queria que ele se entregasse a Policia. Quando cheguei na favela os comentarios ferviam. O povo dizia que o Armim tinha morrido.

... Fui na Estação do Norte. O baiano surgiu. Perguntou-me pela sua esposa, disse-lhe que estava comigo. Que ele podia ir para a favela que ninguem ia lhe fazer mal. Ele disse-me que estava sem comer. Dei-lhe 25 cruzeiros. Perguntou se o Armim tinha morrido.

— Não. Está em Pirituba.

Ele disse pesaroso:

— Ah! Eu não presto. Está se vendo que eu não faço o serviço completo. Esta historia de machucar só e não matar logo, só serve para arranjar inimigo. Eu não conheço o homem que eu dei a foiçada. Eu não quero ficar lá, porque ele há de querer me matar e a Policia há de querer me prender.

— Mas você tem que prestar declarações na Policia. Se você for preso e eu estiver perto, hei de favorecer-te.

29 de abril Hoje eu estou disposta. O que me entristece é o suicidio do senhor Tomás. Coitado. Suicidou-se porque cansou de sofrer com o custo da vida.

Quando eu encontro algo no lixo que eu posso comer, eu como. Eu não tenho coragem de suicidar-me. E não posso morrer de fome.

Eu parei de escrever o Diario porque fiquei desiludida. E por falta de tempo.

1 de maio Deixei o leito as 4 horas. Lavei as louças e fui carregar agua. Não havia fila. Não tenho radio, não vou ouvir o desfile. (...) Hoje é o Dia do Trabalho.

2 de maio ... Ontem eu comprei açucar e bananas. Os meus filhos comeram banana com açucar, porque não tinha gordura para fazer comida. Pensei no senhor Tomás que suicidou-se. Mas, se os pobres do Brasil resolver suicidar-se porque estão passando fome, não ficaria nenhum vivo.

3 de maio Hoje é domingo. Eu vou passar o dia em casa. Não tenho nada para comer. Hoje eu estou nervosa, desorientada e triste. Tem um português que quer morar comigo. Mas eu não preciso de homem. Eu já lhe supliquei para não vir aborrecer-me.

... Hoje o Frei veio rezar a missa na favela. Ele pois nome na favela de Bairro do Rosario. Vem varias pessoas ouvir a missa. No sermão o padre pede ao povo para não roubar.

... O senhor Manoel chegou e começamos a conversar. Falei de uma menina de um ano e meio que não pode ver ninguem mover a boca, que pergunta:

— O que é que você está comendo?

É a ultima filha do Binidito Onça. Percebi que a menina vai ser inteligente.

4 de maio Deixei o leito as 6 horas, porque o senhor Manoel quando dorme aqui não deixa eu levantar cedo.

... Eu não nasci ambiciosa. Recordei este trecho da Biblia: "Não acumules tesouros, porque lá estará o teu coração".

Sempre ouvi dizer que o rico não tem tranquilidade de espirito. Mas o pobre tambem não tem, porque luta para arranjar dinheiro para comer.

5 de maio Escrevi até as 2 horas. Depois fui carregar agua. Enchi a barrica e as latas. Fiz uma trempe de tropeiro e puis agua a ferver para pelar o porco. Comecei pensar no que ia preparar: chouriço, lombo assado e couro de porco no feijão. Fiquei contente. Eu ia comer carne, na realidade. Comecei cantar, cantei.

... Fiquei pensando: quanto tempo que eu não como carne de porco. Fui ver se o senhor Manoel estava em casa para matar o porco. Não estava. Fiquei nervosa. (...) Chegou o irmão do senhor Manoel, dono do porco. Vinha buscar a sua parte. Eu engordei o porco a meia. (...) Encontrei com o Orlando Lopes. Pedi se ele podia matar o porco para mim. Disse que sim. Eu voltei alegre.

O Orlando surgiu. Foi até o chiqueiro, olhou o porco. Assim que o porco lhe viu, deu um ronco. Ficou agitado. Comecei a agradá-lo, mas ele estava agitado. O Orlando amarrou-lhe uma corda no pé. Retiraram o porco para fora. O Orlando deu-lhe uma punhalada. Vendo o sangue correr, peguei uma bacia para aproveitá-lo para fazer chouriço. Contemplava o extertor do porco, que não queria exalar o último suspiro. O Orlando deu-lhe outra facada. Esperamos ele morrer. Os minutos passavam.

Eles pelaram e quando abriram o porco eu fiquei contente. A criançada invadiu o quintal. As mulheres surgiram dizendo que queriam um pedaço. O Chiclé queria as tripas.

Eu não vou vender nem dar. Eu engordei este porco para os meus filhos.

Eles protestavam. Surgiu a Maria mãe da Analia, pediu se eu podia vender um pedaço de toucinho.

— Não vou vender. Quando você engordou e matou o teu porco, eu não fui aborrecer-te.

Ela começou dizer que queria só o toucinho. Perpassei o olhar no povo que fitava o toucinho igual a raposa quando fita uma galinha. Pensei: e se eles invadir o quintal? Resolvi levar o toucinho para dentro de casa o mais depressa possivel. Fitei as tabuas do barraco, que já estão podres. Se eles invadir, adeus barraco.

Juro que fiquei com medo dos favelados.

A Vera não foi no parque porque queria ver matar o porco.

Os filhos retornaram da escola e perguntaram:

— Mamãe, a senhora matou o porco?

— Matei.

— O Ninho disse que foi 3 facadas e 2 pauladas.

Os meus sorriam. Eu tambem. Dei uns pedaços para o Orlando e para o senhor Antonio Sapateiro. Fiz bifes para os filhos. A carne estava em cima da mesa. Cobri com um pano. O João disse:

— Parece uma pessoa morta.

Eu disse:

— Eu vou lavar a barrigada e você não sai daqui, por causa dos gatos.

A Vera acompanhou-me. Eu fui lavar na lagoa. O José Carlos surgiu, ensinei-lhe a virar as tripas. A Vera sorria vendo a agua circular dentro da tripa do porco. O José Carlos perguntava se o nosso corpo é igual o corpo do porco. Afirmei que o interior do porco é igual ao do homem.

— Então o porco já foi homem?

— Não sei.

... Voltei para casa porque estava cançada. Percebi que a Maria estava com inveja por eu ter matado o porco. A Vera queria jantar, fiz arroz e ela comeu com carne. O João moeu o toucinho. Eu puis para fritar.

... O João adormeceu. Fiquei olhando seus pés sujos que estavam pendendo da cama. Lavei os meus braços e o meu rosto que estava gorduroso. Escovei os dentes e fui deitar. Era 2 horas da manhã.

6 de maio ... As 9 e meia o reporter surgiu. Bradei:

— O senhor disse que estaria aqui as 9 e meia e não atrasou-se!

Disse-lhe que varias pessoas queriam vê-lo, porque apreciam as suas reportagens. (...) Entramos num taxi. A Vera estava contente porque estava de carro. Descemos no Largo do Arouche e o reporter começou fotografar-me. Levou-me no predio da Academia Paulista de Letras. Eu sentei na porta e puis o saco de papel a esquerda. O porteiro apareceu e disse para eu sair da porta. (...) O porteiro pegou o meu saco de catar papel, o saco que para mim tem um valor inestimavel, porque é por seu intermedio que eu ganho o pão de cada dia. O reporter surgiu e disse que foi ele quem me mandou eu sentar no degrau. O porteiro disse que não tinha permissão para deixar que quem quer que fosse sentar-se na porta do predio.

... Fomos na Rua 7 de Abril e o reporter comprou uma boneca para a Vera. (...) Eu disse aos balconistas que escrevi um diario que vai ser divulgado no *O Cruzeiro*[44].

7 de maio ... Lavei todas as roupas. Jurei nunca mais matar porco na favela. Eu estou tão nervosa que recordei o meu proverbio: *não há coisa pior na vida do que a propria vida.*

Favela, sucursal do Inferno, ou o proprio Inferno.

Para o jantar fiz feijão, arroz e carne. A Vera está tão contente porque temos carne! Quando as crianças me vê, pedem:

— Carolina, me dá carne!

Cães e gatos rondam o meu barracão. Eu estou cançada. Vou deitar. Adormeci. Despertei com o Adalberto, que está ebrio. Batia no barraco e pedia:

— Carolina, me dá um pedaço de carne de porco!

Que odio! E eu com tanto sono! Fiquei ouvindo ele cantar. Depois adormeci novamente. Despertei com algo que passeava por cima das cobertas. Acendi a luz. Era um gato. Não mais deitei. Fi-

---

44 *A revista* O Cruzeiro, *criada em 1928, foi por muito tempo o mais importante semanário do Brasil, contando com a colaboração dos maiores escritores do país.* (N.E.)

quei escrevendo até o raiar do dia. Quando ouvi aquele homem que passa dizendo:

— Olha o pão doce!

8 de maio ... Fiz arroz e lombo de porco, porque não tenho feijão. Tomei banho e trocava-me para ir na cidade. Quando eu ia saindo a Vera penetrou-se e disse que não tinha expediente no Parque.

Antes de sair recordei que devia dar comida para a cachorrinha. Olhei ela, que estava deitada. Dei-lhe um pedaço de carne e tentei despertá-la. Ela estava morta.

Morreu de tanto comer carne.

... Fui no Juiz. Receber o dinheiro que o pai da Vera me dá por intermédio do Juizado. (...) O advogado não quiz me dar a ficha.

— Sem a ficha eu não atendo!

E bateu a porta no meu rosto. Fui falar com o advogado que o Dr. Walter não queria atender-me sem a ficha. Ele mandou um guarda acompanhar-me e disse-me:

— Muito bem, Carolina! Põe todo o mundo no Diario.

Acompanhei o guarda, que disse para o Dr. Walter Aymberê que devia atender-me sem a ficha.

— Não atendo! Se não trazer a ficha vou falar com o advogado chefe.

A Vera assustou-se e disse:

— Que homem! Porque é que a gente precisa de advogado, mamãe?

Eu disse para o guarda deixar. Eu vou embora. O Dr. Walter já está no meu Diario. Ele é muito grosseiro.

... Fui na Tesouraria para receber o dinheiro. Quando chegou a minha vez não encontrei o dinheiro. A Vera queria comprar um vestido. Eu disse-lhe que o seu pai não havia levado o dinheiro. Ela ficou triste e disse:

— Mamãe, o meu pai não presta!

10 de maio Eu não dormi porque o visinho tocou o radio toda a noite. E a L. fez um fuá dos diabos. Ela estava dormindo com o Valdemar quando o Arnaldo chegou. Era 2 horas. O Arnaldo dizia:

— Vai embora, Valdemar! A negra é minha!

O Valdemar respondia:

— A negra é nossa! Eu cheguei primeiro.

12 de maio ... Eu fui na Dona Julita e ela deu-me café e arroz. Quando eu retornava encontrei com a Dona Maria, aquela que cata papel na fábrica de pudim. Ela disse-me que roubaram-lhe um saco de papel. Fiquei com dó. Encontrei com o Capitão. Perguntei-lhe porque havia abandonado o seu lar. Ele disse-me com a voz triste:

— Sabe, Carolina, eu não pretendia deixar o meu lar. Mas a ingratidão da minha esposa obrigou-me a tomar esta decisão.

E contou-me o motivo. Eu disse-lhe:

— Ela não fez bom negocio trocando-te por outro.

Ele disse-me:

— Se eu continuasse no meu lar, um dia ou outro eu tinha que matar aquele canalha.

Eu acho que aquele homem que interferiu-se no lar do Capitão para destrui-lo não presta.

28 de maio ... A vida é igual um livro. Só depois de ter lido é que sabemos o que encerra. E nós quando estamos no fim da vida é que sabemos como a nossa vida decorreu. A minha, até aqui, tem sido preta. Preta é a minha pele. Preto é o lugar onde eu moro.

29 de maio ... O Adalberto errou o quarto. Em vez de entrar no dele entrou no quartinho da Aparecida. E os favelados queriam retirá-lo de lá, porque se o Negrão chegasse havia de espancá-lo. Eu fui retirá-lo de lá porque ele me obedece. Resolveu sair. Quando eu fui deitá-lo, ele disse:

— Sabe, Carolina, eu sou um homem infeliz. Depois que morreu Marina nunca mais ninguem me quiz.

Eu dei uma risada, porque percebi que ele havia falado e formado uma quadrinha. Parei de rir, porque a tristeza de sua voz comoveu-me. Marina foi uma mulher negra que viveu com ele. Bebia muito. E morreu tuberculosa com 21 anos.

1 de junho Hoje eu não fui trabalhar, porque a Vera e o José Carlos estão doentes. Eu fui vender uns ferros e um pouco de estopa. Ganhei só 31 cruzeiros.

2 de junho Hoje eu não vou sair porque os filhos ainda estão doentes. As quatro da manhã a Vera começou tussir. Levantei e fiz um mingau de fubá para ela.

3 de junho De manhã eu carreguei só um caldeirão com agua. Fiz café. Mandei o João comprar um tinteiro e duas agulhas. O José Carlos está melhor e vai para a escola. Eu deixei a Vera. Vou sair porque eu tenho só um pouquinho de feijão, sal e meio quilo de açucar.

4 de junho ... O senhor Manoel chegou. Agora eu estou lhe tratando bem, porque percebi que gosto dele. Passei varios dias sem vê-lo e senti saudades. A saudade é amostra do afeto.

A Dona Adelaide veio trazer a minha blusa de lã e ficou admirada vendo o senhor Manoel dentro de casa. Ele é quieto. Fala baixinho e anda muito bem vestido. Ela me olhava e olhava ele. Ele com seus sapatos reluzentes. E eu suja parecendo um marginal de rua. Ela ficou horrorizada porque eu durmo com ele. Ela me olhou com repugnancia quando eu disse que ele vai me dar uma maquina de costura e um radio.

— O senhor é solteiro?

— Sou.

— Para a senhora ele está bem, porque ele é solteiro e a senhora tambem.

... Percebi que a sua intenção era diminuir-me aos olhos dele. Mas ela chegou tarde demais, porque a nossa amizade é igual uma raiz que segura uma planta na terra. Já está firme.

Dormi com ele. E a noite foi deliciosa.

5 de junho ... Quando cheguei em casa fiz sopa de aveia. A Vera chorou. Não queria comer aveia. Dizia:

— Eu não gosto.

Dei-lhe uma surra e ela comeu.

... Fomos deitar. As 10 da noite começou o espetaculo na favela. Aparecida, a nova visinha, bebeu muito e começou a brigar com a Leila. Os homens da Leila queriam invadir o barracão dela. Ela foi chamar a cavalaria. O Adalberto levantou-se para socorrer a Leila. Começou falar. Quando ouviram o tropel da cavalaria silenciaram.

O Euclides, o negro preto que mora com a Aparecida é horrivel quando bebe. Fala por cem.

— Eu dou tiro. Eu mato!

Quando ele parou de falar era 3 horas da manhã. O visinho ligou o radio. Eu não dormi com o sururu da favela. Até as crianças despertaram. Ouvi no radio o desastre da Central.

De manhã o José Carlos disse que tinha vontade de ver um encontro de trens.

Eu disse-lhe:

— Não pense nisso. Coitados dos operarios!

8 de junho ... Quando cheguei e abri a porta, vi um bilhete. Conheci a letra do reporter. Perguntei a Dona Nena se ele esteve aqui. Disse que sim. (...) O bilhete dizia que a reportagem vai sair no dia 10, no *Cruzeiro*. Que o livro vai ser editado. Fiquei emocionada.

O senhor Manoel chegou. Disse-lhe que a reportagem vai sair 4ª feira e que o reporter quer levar o livro para imprimir.

— Eles ganham dinheiro nas tuas costas e não te pagam. Eles estão te embrulhando. Você não deve entregar-lhe o livro.

Eu não imprecionei com as ironias do senhor Manoel.

9 de junho ... Eu disse para a Mulata e a Circe que a reportagem vai sair amanhã.

— Eu vou gastar 15 cruzeiros para comprar o *Cruzeiro* e se eu não encontrar a reportagem, você me paga!

Eu disse para a Dona Celestina que a mulher do Coca-Cola disse que tudo que eu escrevo ela escreve tambem. A Dona Celestina disse que não sabe se ela escreve. Que eu, ela sabe que escrevo.

... Eu estava ensinando contas para os filhos quando bateram na janela. O João disse:

— Mamãe, atende o homem de oculos.

Fui ver. Era o pai da Vera.

— Entra!

— Por onde entra aqui?

— Dá a volta.

Ele entrou. E perpassou o olhar pelo barracão. Perguntou:

— Você não sente frio aqui? Isto aqui não chove?

— Chove, mas eu vou tolerando.

— Você me escreveu que a menina estava doente, eu vim visitá-la. Obrigado pelas cartas. Te agradeço porque você me protege e não revela o meu nome no teu diario.

Ele deu dinheiro aos filhos e eles foram comprar balas. Nós ficamos sozinhos. Quando os meninos voltaram a Vera disse que quer ser pianista. Ele sorriu:

— Então você quer ser granfina.

Ele sorriu porque os filhos dele são musicos. A Vera pediu um radio. Ele disse que dá um no Natal. Quando ele saiu eu fiquei nervosa. Depois cantei e fui comprar pão para os filhos. Eles comeram. E fomos deitar. Eu disse para o pai da Vera que ia sair no *Cruzeiro*.

Ele deu 100 cruzeiros. O José Carlos achou pouco, porque ele estava com notas de 1.000.

10 de junho Hoje eu não vou sair porque o barraco está muito sujo. Eu vou limpá-lo. Varri o assoalho e as teias de aranha. Penteiei os meus cabelos. Os filhos foram na escola. Quando os filhos chegaram, almoçaram. O João foi levar almoço para a Vera. Eu disse para ele olhar se a reportagem havia saido no *Cruzeiro*. Eu estava com medo da reportagem não ter saido e as pessoas que eu avisei para comprar o *Cruzeiro* dizer que eu sou pernostica.

O João quando retornou-se disse que a reportagem havia saido. Vasculhei os bolsos procurando dinheiro. Tinha 13 cruzeiros. Faltava 2. O senhor Luis emprestou-me. E o João foi buscar. O meu coração ficou oscilando igual as molas de um relogio. O que será que eles escreveram a meu respeito? Quando o João voltou com a revista, li —

Retrato da favela no Diário da Carolina.

Li o artigo e sorri. Pensei no reporter e pretendo agradecê-lo. (...) Troquei roupas e fui na cidade receber o dinheiro da Vera. Na cidade eu disse para os jornaleiros que a reportagem do *O Cruzeiro* era minha. (...) Fui receber o dinheiro e avisei o tesoureiro que eu estava no *O Cruzeiro*.

... Eu estava impaciente porque havia deixado os meus filhos e na favela atualmente tem um espirito de porco. Tomei o onibus e quando cheguei no ponto final a jornaleira disse que as negrinhas da favela havia me chingado, que eu estava desmoralizando a favela. Fui no parque buscar a Vera. E mostrei-lhe a revista.

Eu fui comprar meio quilo de carne. Quando voltei para a favela passei no Emporio do senhor Eduardo. Mostrei a revista para os operarios do Frigorifico.

O João disse-me que o Orlando Lopes, o atual encarregado da luz, havia me chingado. Disse que eu fiquei devendo 4 meses. Fui falar com o Orlando. Ele disse-me que eu puis na revista que ele não trabalha.

— Que historia é esta que eu fiquei devendo 4 meses de luz e agua?

— Ficou sim, sua nojenta! Sua vagabunda!

— Eu escrevo porque preciso mostrar aos politicos as pessimas qualidades de vocês. E eu vou contar ao reporter.

— Eu não tenho medo daquele puto, daquele fresco!

Que nojo que eu senti do tal Orlando Lopes. (...) Vim para o meu barraco. Fiz uns bifes e os filhos comeram. Eu jantei. Depois cantei a valsa *Rio Grande do Sul*.

11 de junho Levantei e fui carregar agua. Depois fui fazer compras. Troquei os filhos, eles foram para a escola. Eu não queria sair, mas estou com pouco dinheiro. Precisei sair. Quando circulava pelas ruas o povo abordava-me para dizer que havia me visto no *O Cruzeiro*.

... Eu fui na banca e comprei uma revista. Mostrei para o farmaceutico. Eu comprei outra revista e fui levar para o José do Bar dos Esportes. Ele comprou a revista. Eu passei na banca e comprei outra. Mostrei para o sapateiro. Ele sorriu. (...) Passei no emporio do José Martins e falei se ele queria ler a revista.

— Deixa aí. Depois vamos ler.

... Dei jantar para os filhos e sentei na cama para escrever. Bateram na porta. Mandei o João ver quem era e disse:

— Entra, negra!

— Ela não é negra, mamãe. É uma mulher branquinha e está com *O Cruzeiro* na mão.

Ela entrou. Uma loira muito bonita. Disse-me que havia lido a reportagem no *O Cruzeiro* e queria levar-me no *Diario* para conseguir auxilio para mim.

... Na redação, eu fiquei emocionada. (...) O senhor Antonio fica no terceiro andar, na sala do Dr. Assis Chatobriand[45]. Ele deu-me revista para eu ler. Depois foi buscar uma refeição para mim. Bife, batatas e saladas. Eu comendo o que sonhei! Estou na sala bonita. A realidade é muito mais bonita do que o sonho.

Depois fomos na redação e fotografaram-me. (...) Prometeram-me que eu vou sair no *Diario da Noite* amanhã. Eu estou tão alegre! Parece que a minha vida estava suja e agora estão lavando.

13 de junho Eu saí. Fui catar um pouco de papel. Ouço varias pessoas dizer:

— É aquela que está no *O Cruzeiro*!

— Mas como está suja!

... Conversei com os operarios. Desfiz as caixas de papelão, ensaquei outros papeis. Ganhei 100 cruzeiros. As moças do deposito começaram a cantar:

Carolina, hum, hum, hum...

O Leon disse:

— Ela saiu no *O Cruzeiro*. Com ela agora é mais cruzeiro.

— Eles te pagaram?

— Vão dar-me uma casa.

— Vai esperando!

... Fiquei pensando num preto que é meu visinho. O senhor Euclides. Ele disse-me:

— Dona Carolina, eu gosto muito da senhora. A senhora quer escrever muitos livros?

— Oh, se quero!

— Mas a senhora não tem quem te dê nada. Precisa trabalhar.

— Eu preciso trabalhar e escrevo nas horas vagas.

---

45 *Assis Chateaubriand fundou em 1924 a cadeia jornalística Diários Associados, que chegou a reunir mais de 34 jornais em todo o país, além de diversas estações de rádio, emissoras de televisão e revistas. Foi o fundador do Museu de Arte de São Paulo (Masp). (N.E.)*

— Eu vejo que a sua vida é muito sacrificada.

— Eu já estou habituada.

— Se a senhora quizer ficar comigo, eu peço esmolas e te sustento. É de dinheiro que as mulheres gostam. E dinheiro eu arranjo para você. Eu não tenho ninguem que gosta de mim... Eu sou aleijado. Eu gosto muito da senhora. A senhora tá dentro da minha cabeça. Tá dentro do meu coração.

Quando ele ia me dar um abraço, afastei.

16 de junho ... Hoje não temos nada para comer. Queria convidar os filhos para suicidar-nos. Desisti. Olhei meus filhos e fiquei com dó. Eles estão cheios de vida. Quem vive, precisa comer. Fiquei nervosa, pensando: será que Deus esqueceu-me? Será que ele ficou de mal comigo?

18 de junho ... O barraco da Aparecida é o ponto para reunir os pinguços. Beberam e depois brigaram. O Lalau disse que eu ponho varias pessoas no jornal, mas ele eu não ponho.

— Se você me por no jornal eu te quebro toda, vagabunda! Esta negra precisa sair daqui da favela.

A Aparecida veio dizer que o João mandou ela tomar no...

Eu disse:

— Vocês são as professoras. Quando bebem falam coisas horriveis.

19 de junho ... O senhor Manoel apareceu. Disse que comprou a revista, para ver o meu retrato. Quiz saber se o reporter deu-me algo.

— Não, mas vai dar.

— Eu não acredito. Só creio quando eu ver.

Eu disse-lhe que só depois que o livro circular é que o escritor recebe.

22 de junho ... Saí triste porque não tinha nada em casa para comer. Olhei o céu. Graças a Deus não vai chover. Hoje é segunda-feira. Tem muitos papeis nas ruas. No ponto do bonde, eu me separei da Vera. Ela disse:

— Faz comida, que eu vou chegar com fome.

A frase comida ficou eclodindo dentro do meu cerebro. Parece que o meu pensamento repetia:

Comida! Comida! Comida!

Dizem que o Brasil já foi bom. Mas eu não sou da época do Brasil bom. ... Hoje eu fui me olhar no espelho. Fiquei horrorizada. O meu rosto é quase igual ao de minha saudosa mãe. E estou sem dente. Magra. Pudera! O medo de morrer de fome!

25 de junho ... Voltei para o meu barraco imundo. Olhava o meu barraco envelhecido. As tabuas negras e podres. Pensei: está igual a minha vida!

Quando eu preparava para escrever, o tal Orlando surgiu e disse que queria o dinheiro. Dei-lhe 100 cruzeiros.

— Eu quero 250. Quero o deposito.

— Eu não pago deposito porque já foi abolido pela Light.

— Então eu corto a luz.

E desligou-a.

27 de junho ... O tal Orlando Lopes passava de bicicleta. Os meus filhos falaram:

— Olha o Orlando!

Eu disse-lhes:

— Eu não vou olhar este nojento.

Ele ouviu e respondeu:

— Nojento é a puta que te pariu!

... Eu disse-lhe que ia escrever e não podia perder tempo com vagabundos. Fechei a porta.

29 de junho Hoje eu amanheci rouca. Era 4 horas quando eu fui pegar agua, porque o tal Orlando Lopes disse que não deixa eu pegar agua. Puis agua para fazer café. Estou só com 18 cruzeiros. Estou tão triste! Se eu pudesse mudar desta favela! Isto é obra do Diabo.

Aqui já morou homens malvados, mas este tal de Orlando suplanta-os. Hoje eu passei o dia escrevendo. Contei quantos barracões tem na favela para ver quanto este tal Orlando Lopes vai arrecadar se os favelados pagar-lhe os 150 cruzeiros de deposito. Contei 119 barracões com luz.

O céu está maravilhoso. Azul claro e com nuvens brancas esparsas. Os balões com suas cores variadas percorrem o espaço. As crianças ficam agitadas quando um balão vem desprendendo-se. Como é lindo o dia de São Pedro. Porque será que os santos juninos são homenageados com fogos?

O tal Orlando Lopes passou na minha rua. Ele disse que tudo que eu falo dele as mulheres lhe conta. São umas idiotas. Eu quero defendê-las, porque há ladrões de toda especie. Mas elas não compreendem.

30 de junho ... Aquele preto que cata verdura no Mercado veio vender-me umas batatas murchas e brotadas. Olhando-as, vi que ninguem ia comprar. Pensei: este pobre deve ter vagado inutilmente sem conseguir dinheiro para a refeição. Perguntei-lhe se queria comida.

— Quero!

Dirigiu-me um olhar tão terno como se estivesse olhando uma santa. Esquentei macarrão, bofe e torresmo para ele.

1 de julho ... Eu estou cançada e enojada da favela. Eu disse para o senhor Manoel que eu estou passando tantos apuros. O pai da Vera é rico, podia ajudar-me um pouco. Ele pede para eu não divulgar-lhe o nome no Diario, não divulgo. Podia reconhecer o meu silêncio. E se eu fosse uma destas pretas escandalosas e chegasse lá na oficina e fizesse um escandalo?

— Dá dinheiro para a tua filha!

2 de julho ... Levantei, acendi o fogo e mandei o João comprar 10 de açucar. Bateram no barracão. Os filhos falaram:

— É o pai da Vera.

— É o papai — ela sorria para ele.

Eu é que não fiquei com a tal visita. Ele disse-me que não levou o dinheiro lá no Juiz porque não teve tempo. Mostrei-lhe os sapatos da Vera que estão furados e a agua penetra.

— Quanto pagou isto?

— 240.

— É caro.

... Ele deu-me 120 cruzeiros e 20 para cada filho. Ele mandou os filhos comprar doces para nós ficarmos sozinhos. Tem hora que eu tenho desgosto de ser mulher. Dei graças a Deus quando ele despediu-se.

3 de julho ... Não tem gordura. Hoje acabou-se a gordura do porco. E agora tenho que comprar gordura.

... Tomei banho e fui deitar. Que noite horrivel! A tal Terezinha e o companheiro não nos deixou dormir. Eu não sei onde eles arranjaram uma galinha. E discutiam:

— Vai, Euclides, depenar a galinha!

— Vai você!

E ficaram nesta lenga-lenga até as 2 da madrugada.

6 de julho O senhor Manoel saiu. E eu fiquei deitada. Depois levantei e fui carregar agua. Que nojo. Ficar ouvindo as mulheres falar. Falaram da D., que ela namora qualquer um. Que a R., irmã do B., pertence aos homens.

Falamos do J. P., que quer amasiar-se com a sua filha I. (...) Ele mostra para a filha e convida...

— Vem minha filha! Dá para o seu papaizinho! Dá... só um pouquinho.

Eu já estou cançada de ouvir isto, porque infelizmente eu sou visinha do J. P. (...) É um homem que não pode ser admitido numa casa onde tem crianças.

Eu disse:

— É por isso que eu digo que a favela é o chiqueiro de São Paulo.

Enchi minha lata e zarpei, dando graças a Deus por sair da torneira. A C. disse que pediu dinheiro ao seu pai para comprar um par de sapatos, e ele disse:

— Se você me dar a... eu te dou 100.

Ela deu. E ele deu-lhe só 50. Ela rasgou o dinheiro e a I. catou os pedaços e colou.

Porisso que eu digo que a favela é o Gabinete do Diabo.

... Fiz o almoço, depois fui escrever. Estou nervosa. O mundo está tão insipido que eu tenho vontade de morrer. Fiquei sentada no sol para aquecer. Com as agruras da vida somos uns infelizes perambulando aqui neste mundo. Sentindo frio interior e exterior.

Percebi que estava me reanimando. Quando anoiteceu eu fiquei alegre. Cantei. O João e o José Carlos tomaram parte. Os visinhos ebrios interferiram com suas vozes desafinadas.

Cantamos a *Jardineira*.

7 de julho ... A Dona Angelina Preta estava dizendo que vai vender o seu barraco e vai mudar para Guaianazes. Que não suporta mais morar na rua A. Fiquei contente ouvindo ela dizer que vai mudar.

Até eu, o dia que me mudar hei de queimar incenso para agradecer a Deus. Hei de fazer jejum mental, pensar só nas coisas boas que agradam a Deus.

11 de julho ... Era 7 horas da noite. Os filhos estavam na rua. O João penetrou veloz como se estivesse sendo impelido pelo foguete russo[46]. Disse:

— Mamãe, o José Carlos vai para o Juiz de Menores!

— Porque?

— Ele jogou uma pedra na vidraça da fabrica de peças de automovel e quebrou. E o nortista que toma conta da fabrica disse que vai manda-lo para o Juiz.

Pensei: uma vidraça qualquer mãe pode pagar. Levantei, vesti o casaco, peguei o dinheiro e puis no bolso. Peguei a revista com a minha reportagem e saí. Fui ver a vidraça. Estava quebrada. E a pedra foi arremessada com estilingue. E o furo na vidraça ficou oval.

O vigia da fabrica abriu a janela e viu o João e perguntou:

— O que é que você está fazendo aqui?

— Sou eu, que vim ver o furo da vidraça.

O nortista começou a falar. Eu dizia para o José Carlos o que ele foi fazer lá, que anda atoa e arranja encrenca. Perguntei ao nortista se havia batido nele. Respondeu-me que não. O José Carlos dizia que ele havia lhe apertado o braço.

Eu acreditei no meu filho. Em geral, as mães acreditam nos filhos.

12 de julho ... Minha luta hoje foi para fazer almoço. Não tenho gordura. Deixei a carne cosinhar e puis linguiça junto para

---

46 *Em fins de 1957 a URSS lançou o primeiro satélite artificial da Terra, e logo em seguida mandou ao espaço uma cadela, fatos que marcaram o início da corrida espacial. (N.E.)*

fritar e apurar gordura para fazer o arroz e o feijão. Temperei a salada com caldo de carne. Os filhos gostaram.

Quando a Vera come carne fica alegre e canta.

13 de julho ... Comprei 30 cruzeiros de carne e fiquei nervosa porque os 30 que sobrou não vai dar para comprar gordura e arroz. Estava apreensiva receando que meus filhos brigassem com os visinhos.

Quando cheguei eles estavam sentados dentro do chiqueiro, lendo gibi. Ouvi a voz da Dona Adelaide. Dizia aos meus filhos:

— Vocês pararam de brigar?

Perguntei a Vera o que havia e com quem brigaram. Ela relatou que o João e o José Carlos brigaram. Que deixaram o violão cair no chão e puseram perfume no fogo para acender. Quebraram a escova de lavar o assoalho e abriram um pacote de tinta verde que eu estou guardando. Não sei pra que, mas estou guardando.

... Puis brasas no ferro, passei a minha saia verde, lavei a blusa de renda que eu achei no lixo, tomei banho e troquei-me. Troquei a Vera e fomos para a cidade. Eu estava só com 6 cruzeiros. Pensava: e se o pai da Vera não levou o dinheiro, como é que eu vou voltar?

... Fui receber o dinheiro da Vera. Que fila! Era as mulheres que iam receber as mensalidades dos esposos e dos pais de seus filhos. Eu tenho que dizer nossos filhos, porque eu tambem estava no nucleo. Dizem que quem entra na restea vira cebola.

As mulheres falavam dos esposos. É lá que os homens tomam nomes de animaes.

— O meu é um cavalo bruto e ordinario!

— E o meu é um burro. Aquele desgraçado! Outro dia ele viajou na Central e eu pedi a Deus para acontecer um desastre e ele morrer e ir pro Inferno.

Perguntei a uma mulher que estava atrás de mim:

— Quem é o seu advogado?

— Dr. Walter Aymberê.

— Ele é o meu tambem. Mas eu não gosto dele.

... Eu recebi o grande dinheiro. 250 cruzeiros. A Vera sorria e dizia:

— Agora eu gosto do meu pai.

Passei na sapataria e comprei um par de sapatos para a Vera. Quando o senhor Manoel, um nortista, lhe experimentava os sapatos, ela dizia:

— Sapato, não acaba, porque depois a mamãe custa a comprar outro. E eu não gosto de andar descalça.

... Passei no emporio do senhor Eduardo e comprei um quilo de arroz. Sobrou só 7 cruzeiros. Só na cidade eu gastei 25. A cidade é um morcego que chupa o nosso sangue.

15 de julho Quando eu deixava o leito a Vera já estava acordada e perguntou-me:

— Mamãe, é hoje que eu faço anos?

— É. E meus parabens. Desejo-te felicidades.

— A senhora vai fazer um bolo para mim?

— Não sei. Se eu arranjar dinheiro...

Acendi o fogo e fui carregar agua. As mulheres reclamavam que a agua é pouca.

... Os lixeiros já haviam passado. Catei pouco papel. Passei na fabrica para catar estopas. Comecei sentir tontura. Resolvi ir na casa da Dona Angelina pedir um pouco de café. A Dona Angelina deu-me. (...) Quando eu saí disse-lhe que já estava melhor.

— É fome. Você precisa comer.

— Mas o que se ganha não dá.

... Já emagreci 8 quilos. Eu não tenho carne, e o pouco que tenho desaparece. Peguei os papeis e saí. Quando passei diante de uma vitrine vi o meu reflexo: Desviei o olhar, porque tinha a impressão de estar vendo um fantasma.

... Eu fritei peixe e fiz polenta para os filhos comer com peixe. Quando a Vera chegou viu a polenta dentro da marmita e perguntou:

— E o bolo? Hoje eu faço anos!

— Não é bolo. É polenta.

— Polenta, eu não gosto.

Ela trouxe leite. Eu dei-lhe leite com polenta. Ela comeu chorando. Quem sou eu para fazer bolo?

18 de julho ... Quando eu ia catar papel encontrei a Dona Binidita mãe da Nena preta. Eu digo Nena preta porque nós temos aqui na favela a Nena branca. (...) Começamos a falar do menino que morreu nos fios da Light. Ela disse-me que foi o filho da Laura do Vicentão.

— Oh! — exclamei. Porque conhecia o menino e a sua historia de filho engeitado. Aí vai a historia do infausto Miguel Colona:

Quando a Laura foi para a maternidade ter filho, o seu nasceu e morreu. Ela ficou triste, porque queria criar o filho. E chorava. Ao seu lado, uma mulher jovem teve um filho. E chorava com inveja da Laura. Ela é que desejava que o seu filho nascesse e morresse. Mas o seu filho estava vivo. Aquelas lagrimas preocupou a Laura, que interrogou-lhe:

— Porque chora, se o teu filho está vivo e é bonito?

A mulher disse que veio do Norte. Virgem. Chegou em São Paulo arranjou aquele filho. E o pai da criança não queria casar-se com ela. Que seus pais queriam que ela voltasse para o Norte. E ela ia voltar para o Norte, mas não queria levar o filho. Se a Laura queria o menino ela dava-o.

A Laura aceitou. Ficou tão contente como se tivesse ganho todo o ouro que existe no mundo. Quando ela saiu da maternidade revelou que o seu filho morreu e ela ganhou aquele. Ela era boa para ele. Comprou televisão porque ele insistiu. Ele estava com 9 anos e no 2º primario. E agora foi arrebatado tragicamente pela morte.

Temos só um geito de nascer e muitos de morrer.

... Hoje tem muito papel no lixo. Tem tantos catadores de papeis nas ruas. Tem os que catam e deitam-se embriagados. Conversei com um catador de papel.

— Porque é que não guarda o dinheiro que ganha?

Ele olhou-me com o seu olhar de tristeza:

— A senhora me faz rir! Já foi o tempo que a gente podia guardar dinheiro. Eu sou um infeliz. Com a vida que levo não posso ter aspiração. Não posso ter um lar, porque um lar inicia com dois, depois vai multiplicando.

Ele olhou-me e disse-me:

— Porque falamos disso? O nosso mundo é a margem. Sabe onde estou dormindo? Debaixo das pontes. Eu estou doido. Eu quero morrer!

— Quantos anos tem?

— 24. Mas já enjoei da vida.

Segui pensando: quem escreve gosta de coisas bonitas. Eu só encontro tristezas e lamentos.

22 de julho Eu estava deitada. Era 5 horas quando a Teresinha e o Euclides começaram a falar.

— Adalberto! Levanta e vai comprar pinga.

O Euclides disse:

— Você não vai escrever? Não vai catar papel? Levanta para você escrever a vida dos outros.

Eu levantei, peguei um pau de vassoura e fui falar-lhe para não aborrecer-me que eu estou cançada de tanto trabalhar. E dei umas cacetadas no barraco. Ele calou e não disse mais nada.

26 de julho ... Era 19 horas quando o senhor Alexandre começou a brigar com a sua esposa. Dizia que ela havia deixado seu relogio cair no chão e quebrar-se. Foi alterando a voz e começou a espancá-la. Ela pedia socorro. Eu não imprecionei, porque já estou acostumada com os espetaculos que ele representa. A Dona Rosa correu para socorrer. Em um minuto, a noticia circulou que um homem estava matando a mulher. Ele deu-lhe com um ferro na cabeça. O sangue jorrava. Fiquei nervosa. O meu coração parecia a mola de um trem em movimento. Deu-me dor de cabeça.

Os homens pularam a cerca para impedi-lo de bater na pobre mulher. Abriram a porta da frente e as mulheres e as crianças invadiram. O Alexandre saiu lá de dentro enfurecido e disse:

— Vão embora, cambada! Estão pensando que isso aqui é a casa da sogra?

Todos correram. Era uns 20 querendo passar na porta. As crianças, ele chutou. A Vera recebeu um chute e caiu de quatro. Os filhos da Juana foram chutados. Os favelados começaram a rir.

A cena não era para rir. Não era comedia. Era drama.

28 de julho ... Eu fui escrever. Ninguem aborreceu-me hoje. Quando o crepusculo vinha surgindo eu fui procurar a Vera. Os favelados estavam reunidos na rua apreciando a briga da Leila e da Pitita com uma negrinha que apareceu por aqui. Mas eu já estou enfastiada de brigas. É tantas brigas na favela!

A luz da favela estava acesa. E a porta do barracão da Leila estava fechada. Vi varias crianças olhando pela fresta. Queria ir ver. Mas há certas coisas que desabonam o adulto. Quando o José Carlos entrou, disse:

— Eu tenho uma coisa para contar.

— O que é?

— Eu vi o Chico fazendo bobagem com a P.

Não dei margem ao assunto. Ele prosseguia:

— O Chico fazia bobagem com a P. e a Vanilda estava perto olhando.

A Vanilda tem 2 anos!

30 de julho ... Escrevi até tarde, porque estou sem sono. Quando deitei adormeci logo e sonhei que estava noutra casa. E eu tinha tudo. Sacos de feijão. Eu olhava os sacos e sorria. Eu dizia para o João:

— Agora podemos dar um ponta-pé na miseria.

E gritei:

— Vai embora, miseria!

A Vera despertou-se e perguntou:

— Quem é que a senhora está mandando ir-se embora?

31 de julho ... Comprei 20 de carne gorda, porque eu não tenho gordura. Passei no emporio do senhor Eduardo para comprar 1 quilo de arroz. Deixei os sacos na calçada. A Vera pois a carne em cima do saco, o cachorro pegou. Chinguei a Vera.

— Ordinaria, preguiçosa. Hoje você vai comer m...

Ela dizia:

— Deixa, mamãe. Quando eu encontrar o cachorro eu bato nele.

... Quando cheguei em casa estava com tanta fome. Surgiu um gato miando. Olhei e pensei: eu nunca comi gato, mas se este estivesse numa panela ensopado com cebola, tomate, juro que comia. Porque a fome é a pior coisa do mundo.

... Eu disse para os filhos que hoje nós não vamos comer. Eles ficaram tristes.

1 de agosto Eu deitei, mas não dormi. Estava tão cançada. Ouvi um ruido dentro do barraco. Levantei para ver o que era. Era um gato. Eu ri, porque eu não tenho nada para comer. Fiquei com dó do gato.

4 de agosto Amanheceu chovendo. Eu fiz café e mandei o João comprar 15 cruzeiros de pão. Emprestei 15 para o Adalberto. Não carreguei agua. Já enjoei de ficar naquela fila desgraçada.

Deixei a Vera deitada. Estava chovendo uma chuva miudinha e fria. Eu achei um par de sapatos no lixo e estou usando. (...) Quando eu ia catar papel a Dona Esmeralda pediu-me 20 emprestado. Dei-lhe 30 cruzeiros, porque ela tem 7 filhos e o esposo está no Juqueri[47].

Saí e fui no roteiro habitual. Fui catando papel, ferros e estopas.

... Encontrei um cego:

— Há quantos anos perdeste a vista?

— 10 anos.

— Achou ruim?

— Não. Porque tudo que Deus faz é bom.

— Qual foi a causa da perda visual?

— Fraqueza.

— E não teve possibilidade de cura?

— Não. Só se fizer transplantação. Mas é preciso encontrar quem me dê os olhos.

— Então o senhor já viu o sol, as flores e o céu cheio de estrelas?

— Já vi. Graças a Deus.

6 de agosto Hoje é o aniversario do José Carlos. 9 anos. Ele é de 1950. Tempo bom! Mas ele quer ter 10 anos, porque quer namorar a Clarinda.

Eu saí. Levei a Vera. Catei papeis, achei um par de sapatos no lixo. Vendi por 20 cruzeiros. Voltei para a favela. Comprei meio quilo de carne. Fiz bife. Almocei.

7 de agosto ... Catei 2 sacos de papel e ganhei 45 cruzeiros. Fiquei desesperada. O que é que eu vou fazer com 45 cruzeiros? Catei um pouco de estopa e voltei. Eu fui no ferro velho vender as estopas. Ganhei 33 cruzeiros. Estava indecisa, pensando o que ia fazer para comer. Eu estava lavando as louças quando bateram na porta. O José Carlos disse:

---

47 *Famoso hospital psiquiátrico paulista, localizado no bairro do Juqueri, na cidade de Franco da Rocha. (N.E.)*

— É a Dona Teresinha Becker!

Ela deu-me 500 cruzeiros. Eu disse-lhe que ia comprar sapatos para o José Carlos e agradeci. Lhe acompanhei até o automovel. (...) Eu fui conversar com a Chica e mostrei-lhe os 500 cruzeiros e disse-lhe que a Dona Teresinha é a minha mãe branca.

8 de agosto ... Morreu um menino aqui na favela. O sepultamento foi as 9 horas. Os negros que iam acompanhar o extinto alugaram um caminhão e levaram violão, pandeiro e pinga. O Zirico dizia:

— Japonês quando morre os vivos cantam. Então vamos cantar tambem.

... A pior praga da favela atualmente são os ladrões. Roubam a noite e dormem durante o dia. Se eu fosse homem não deixava os meus filhos residir nesta espelunca. Se Deus auxiliar-me hei de sair daqui, e não hei de olhar para trás.

12 de agosto ... Troquei-me e fui receber o dinheiro da Vera. O senhor Luiz emprestou-me 3 cruzeiros. Achei 1 no bolso, ficou 4 cruzeiros. Eu queria ir de onibus, encontrei com um favelado muito bom, pedi 1 cruzeiro emprestado. Ele deu-me 2 cruzeiros. Fui de onibus.

... Fui na chuva, porque eu não tenho guarda-chuva. Na cidade eu ouvia o povo reclamar contra a falta de feijão. Que os atacadistas estão sonegando o produto ao povo. E os preços atuais?

Isto não é mundo para o pobre viver.

Quando cheguei no Juizado, o senhor J. A. M. V., o pai da Vera, não levou o dinheiro.

O pai da Vera sempre me pede para eu não por o nome dele no jornal. Que ele tem varios empregados e não quer ver o nome propalado. Mas ele não contribui para eu ocultar o seu nome. Ele está bem de vida e dá só 250 cruzeiros para a Vera. Ele só aparece quando eu saio nos jornais. Vem saber quanto eu ganhei.

13 de agosto Levantei as 6 horas. Estava furiosa com a vida. Com vontade de chorar, porque eu não tenho dinheiro para comprar pão. (...) Os filhos foram na escola. Eu saí sozinha. Deixei a Vera porque vai chover. Fui catar estopas e fui catar papelões. Ganhei 30 cruzeiros. Fiquei triste, pensando: o que hei de fazer com 30 cruzeiros? Estava com fome. Tomei uma media com pão doce. Voltei para a favela. Quando eu cheguei, a Vera estava na janela, olhando as maquinas da Vera Cruz[48] que vieram filmar o Promessinha. Vi varias pessoas olhando as cenas. Fui ver. Quando eu ia chegando, os vagabundos disseram:

— Olha a Elisabety Thaylor.

— Vão criticar o Diabo!

Voltei e fui esquentar comida para os filhos. Arroz e peixe. O arroz e o peixe era pouco. Os filhos comeram e ficaram com fome. Pensei:

Se Jesus Cristo pudesse multiplicar estes peixes!

O senhor Manoel apareceu. Quando eu voltava do deposito de papel, ele vinha acompanhando-me. Deu-me 200 cruzeiros, eu não quiz aceitar.

— Você não me quer mais?

— Eu tenho muito serviço. Não posso preocupar com homens. Meu ideal é comprar uma casa decente para os meus filhos. Eu, nunca tive sorte com homens. Por isso não amei ninguem. Os homens que passaram na minha vida só arranjaram complicações para mim. Filhos para eu criá-los.

Ele despediu-se e pegou os 200 cruzeiros e saíu.

Lavei as louças. Depois fui no deposito de ferro velho vender estopas e ferros. Ganhei 21 cruzeiros.

... Fui ver a filmagem do documentario do Promessinha. Pedi os nomes dos diretores do filme para por no meu diario. (...) As mulheres da favela perguntavam-me:

— Carolina, é verdade que vão acabar a favela?

— Não. Eles estão fazendo uma fita de cinema.

---

48 *A companhia cinematográfica Vera Cruz foi fundada em 1949, na cidade de São Bernardo do Campo (SP). Vítima de grave crise financeira, veio a encerrar suas atividades em 1955. Assim, a informação da autora é equivocada.* (N.E.)

O que se nota é que ninguem gosta da favela, mas precisa dela. Eu olhava o pavor estampado nos rostos dos favelados.

— Eles estão filmando as proezas do Promessinha. Mas o Promessinha não é da nossa favela.

Quando os artistas foram almoçar os favelados queriam invadir e tomar as comidas dos artistas. Pudera! Frangos, empadinhas, carne assada, cervejas. (...) Admirei a polidez dos artistas da Vera Cruz. É uma companhia cinematografica nacional. Merece deferencia especial. Permaneceram o dia todo na favela. A favela superlotou-se. E os visinhos de alvenaria ficaram comentando que os intelectuais dão preferencia aos favelados.

As pessoas que olhavam a filmagem faziam tanto barulho. O Bonito veio ver a filmagem. Perguntei-lhe se já foi filmado, porque ele é cantor.

— Não, porque não sou popular.

15 de agosto ... As mulheres chingavam os artistas:

— Estes vagabundos vieram sujar a nossa porta. As pessoas que passavam na via Dutra e viam os bombeiros vinham ver se era incêndio ou se era alguem que havia morrido afogado. O povo dizia:

— Estão filmando o Promessinha!

Mas o titulo do filme é *Cidade Ameaçada*[49].

16 de agosto ... Passei a tarde escrevendo. Lavei todas as roupas. Hoje eu estou alegre.

Tem festa no barraco de um nortista. E a favela está superlotada de nortistas. O Orlando Lopes está girando pela favela. Quer dinheiro. Ele cobra a luz no cambio negro. E tem pessoas aqui na favela que estão passando fome.

---

49 *Esse filme, grande fracasso de bilheteria, serviu para lançar no mercado o diretor Roberto Farias, considerado precursor do Cinema Novo.* (N.E.)

26 de agosto A pior coisa do mundo é a fome!

31 de dezembro ... Levantei as 3 e meia e fui carregar agua. Despertei os filhos, eles tomaram café. Saimos. O João foi catando papel porque quer dinheiro para ir no cinema. Que suplicio carregar 3 sacos de papeis. Ganhamos 80 cruzeiros. Dei 30 ao João.

... Eu fui fazer compras, porque amanhã é dia de Ano. Comprei arroz, sabão, querosene e açucar.

O João e a Vera deitaram-se. Eu fiquei escrevendo. O sono surgiu, eu adormeci. Despertei com o apito da *Gazeta* anunciando o Ano Novo. Pensei nas corridas e no Manoel de Faria. Pedi a Deus para ele ganhar a corrida. Pedi para abençoar o Brasil.

Espero que 1960 seja melhor do que 1959. Sofremos tanto no 1959, que dá para a gente dizer:

Vai, vai mesmo!
Eu não quero você mais.
Nunca mais!

1 de janeiro de 1960 Levantei as 5 horas e fui carregar agua.

Carolina Maria de Jesus

A seguir, conheça mais sobre a vida, a obra e as ideias da autora de Quarto de despejo.

NOME: **Carolina Maria de Jesus**
NASCIMENTO: por volta de 1914
MORTE: 13/2/1977
ONDE NASCEU: Sacramento (MG)
ONDE MOROU: São Paulo (SP)
MOTIVO PARA ESCREVER UM LIVRO: "quando eu não tinha nada o que comer, em vez de xingar eu escrevia."
MOTIVO PARA LER UM LIVRO: "para adquirirmos boas maneiras e formarmos nosso caráter."

A literatura e a fome

Ao escrever um diário, Carolina Maria de Jesus acabou por traçar um painel da luta dos moradores das favelas pela sobrevivência. Mais do que isso, com sua linguagem simples e objetiva, a que os erros gramaticais apenas conferem maior realismo, atingiu momentos de grande lirismo e força expressiva, inscrevendo-se, sem sombra de dúvida, na história da literatura brasileira.

Carolina Maria de Jesus nasceu em Minas Gerais, por volta de 1914. Foi empregada doméstica em São Paulo, onde, mais tarde, passou a catar papel e outros tipos de lixo reaproveitáveis para sobreviver. Em reportagem sobre a favela do Canindé, onde vivia Carolina, o repórter Audálio Dantas a conheceu e descobriu que ela escrevia um diário.

Surpreso com a força do texto, o jornalista mostrou-o a um editor. Uma vez publicado, o livro trouxe fama e algum dinheiro para Carolina. O suficiente para deixar a favela, mas não o bastante para escapar à pobreza. Quase esquecida pelo público e pela imprensa, a escritora morreu em um pequeno sítio na periferia de São Paulo, em 13 de fevereiro de 1977. A seguir foram organizados em temáticas alguns depoimentos e textos da autora, reproduzindo fielmente a linguagem dos originais.

Por que Carolina começou a escrever

"Quando eu não tinha nada o que comer, em vez de xingar eu escrevia. Tem pessoas que, quando estão nervosas, xingam ou pensam na morte como solução. Eu escrevia o meu diário."

O interesse pela literatura

"Seria uma deslealdade de minha parte não revelar que o meu amor pela literatura foi-me incutido por minha professora, dona Lanita Salvina, que aconselhava-me para eu ler e escrever tudo que surgisse na minha mente. E consultasse o dicionário quando ignorasse a origem de uma palavra. Que as pessoas instruídas vivem com mais facilidade."

O significado da literatura

"A transição de minha vida foi impulsionada pelos livros. Tive uma infância atribulada. É por intermédio dos livros que adquirimos boas maneiras e formamos nosso caráter. Se não fosse por intermédio dos livros que deu-me boa formação, eu teria me transviado, porque passei 23 anos mesclada com os marginais."

A publicação de sua obra

"Cansei de suplicar às editoras do país e pedi à editora Seleções [do Reader's Digest] nos Estados Unidos se queria publicar meus livros em troca de casa e comida e enviei uns manuscritos para eles ler. Devolveram-me... Depois que conheci o repórter [Audálio Dantas] tudo transformou-se."

O sentimento ao ver o livro *Quarto de despejo* pronto

"Fiquei alegre olhando o livro e disse: 'O que eu sempre invejei nos livros foi o nome do autor'. E li o meu nome na capa do livro. 'Carolina Maria de Jesus. *Diário de uma favelada. Quarto de despejo*'. Fiquei emocionada. É preciso gostar de livros para sentir o que eu senti."

A ideia para o título

"É que em 1948, quando começaram a demolir as casas térreas para construir os edifícios, nós, os pobres, que residíamos nas habitações coletivas, fomos despejados e ficamos residindo debaixo das pontes. É por isso que eu denomino que a favela é o quarto de despejo de uma cidade. Nós, os pobres, somos os trastes velhos."

O sucesso de público de *Quarto de despejo*

"Eu não sei o que eles acham no meu diário. Escrevo a miséria e a vida infausta dos favelados. Fico pensando o que será *Quarto de despejo?*, umas coisas que eu escrevia há tanto tempo para desafogar as misérias que enlaçavam-me igual o cipó quando enlaça as árvores, unindo todas."

Inspiração artística

A surpreendente história de Carolina Maria de Jesus relatada neste livro atraiu a atenção de diversos artistas, que a transformaram nas mais diferentes obras. O compositor B. Lobo, autor da famosa marchinha de Carnaval "Abre alas", escreveu a letra de um samba que tem o mesmo título do livro, "Quarto de despejo". A história também foi adaptada para o teatro por Edy Lima, onde Carolina foi interpretada pela atriz Ruth de Souza. Na televisão, a história da autora virou *Caso Verdade*, programa exibido em 1983 pela Rede Globo. Até na Alemanha sua história chegou: a televisão de lá também adaptou o livro em um filme chamado *Despertar de um sonho*. Em 2003, o diretor Jéferson De realizou o documentário de curta-metragem *Carolina*.

A fama e o relacionamento com intelectuais, políticos, gente rica

"Fui perdendo o acanhamento e tinha a impressão de estar no céu. A minha cor preta não foi obstáculo para mim. E nem os meus trajes humildes. Chegavam repórteres, entrevistavam-me, fotografavam-me, ficavam lendo trechos do meu diário."

O relacionamento com o pessoal da favela depois da fama

"Muita gente passou a achar que eu fiquei rica. Procuravam-me como se eu fosse dona de uma fortuna. Queriam propor negócios malucos. Queriam pedir empréstimos, pedir auxílios descabidos. O que me dói é que se aproximam fantasiados de honestos. Pedem, exigem quase, como se eu não fosse apenas mãe da Vera, do João e do José Carlos, mas a mãe de todos. Pedem e depois não pagam."

O mundo fora da favela

"Decepção. Pensei que houvesse mais idealismo, menos inveja. Mas aqui há não só muita ambição, mas também o desejo de vencer a qualquer preço. Mesmo que os meios empregados sejam podres. Quando matei um porco, lá na favela do Canindé, alguns vizinhos exigiram um pedaço de carne. Rondavam meu barraco feito bicho que fareja presa. Lá na favela era o porco, aqui é o dinheiro. No fundo é a mesma coisa. Lembrei do meu provérbio: 'Não há coisa pior na vida do que a própria vida'."

A literatura como denúncia

"Eu era revoltada, não acreditava em ninguém. Odiava os políticos e os patrões, porque o meu sonho era escrever e o pobre não pode ter ideal nobre. Eu sabia que ia angariar inimigos, porque ninguém está habituado a esse tipo de literatura. Seja o que Deus quiser. Eu escrevi a realidade."

Favela é uma planta

A origem do termo "favela" se relaciona à Guerra de Canudos (1896-1897), que aconteceu no sertão da Bahia. A cidade de Canudos, cenário do combate político-religioso relatado por Euclides da Cunha no livro *Os Sertões*, ficava em meio a alguns morros. Entre eles estava o Morro da Favela, batizado assim porque era coberto pela planta homônima. Uma parte dos soldados que participaram da luta, ao voltar para o Rio de Janeiro, deixou de receber seu salário e foi morar em casas precárias instaladas nas encostas do Morro da Providência. Por alguma semelhança ou por lembrança do morro de Canudos, batizaram o local de Morro da Favela. Foi a partir daí que os conjuntos de habitações precárias onde residem pessoas de baixa renda passaram a ser conhecidos como favelas.

Obras da autora

Casa de alvenaria (diário, 1961)
Provérbios (memória, 1963)
Pedaços da fome (memória, 1963)
Diário de Bitita (memória, 1986)
Antologia pessoal (poemas, 1996)
Meu estranho diário (1996)

Esta obra foi composta nas fontes
Quadraat e QuadraatSans,
sobre papel pólen bold 90g/m²,
para a Editora Ática.